PRIMER ROMANCERO GITANO

1924-1927

OTROS ROMANCES DEL TEATRO

1924-1935

OBRAS DE FEDERICO GARCÍA LORCA

Títulos publicados

1

Primer romancero gitano
1924-1927

Otros romances del teatro
1924-1935

2

Yerma
Poema trágico

3

Diván del Tamarit
1931-1935

Llanto por Ignacio Sánchez Mejías
1934

Sonetos
1924-1936

4

La casa
de Bernarda Alba

5

Primeras canciones
Seis poemas galegos
Poemas sueltos

Colección de canciones populares antiguas

6

Canciones
1921-1924

7

La zapatera prodigiosa

8

Poema del cante jondo

9

Epistolario, I

10

Epistolario, II

11

Conferencias, I

12

Conferencias, II

FEDERICO GARCÍA LORCA

PRIMER ROMANCERO GITANO
1924-1927

*

OTROS ROMANCES
DEL TEATRO
1924-1935

Edición, introducción y notas de Mario Hernández

ALIANZA EDITORIAL

Primera edición: junio 1981
Cuarta reimpresión: 1990

INDICE

I

II

ROMANCES DEL TEATRO (1924-1935)

APÉNDICES

INTRODUCCION *

El romance: río de la lengua española: *así tituló Juan Ramón Jiménez una de sus conferencias, por igual injusta y veracísima, según a qué llagas o luces tocaba. Dejó allí sentado el poeta moguereño: «He dicho siempre que [el romance] es el pie métrico sobre el que camina toda la lengua española, prosa o verso.» Federico García Lorca no podía haber escapado a este destino de su lengua española y andaluza, al mismo cauce escondido de la tradición popular, incorporado desde el principio a su voz de poeta culto. Romances, en efecto, los hay en toda su obra, desde la «Canción otoñal» hasta la «Baladilla de los tres ríos», la «Canción de jinete», la «Cantiga do neno da tenda», la «Casida de las palomas oscuras» o el «Canto nocturno de los marineros andaluces». La enu-*

* Agradezco la ayuda que me han prestado, mediante la respuesta a mis consultas o lectura del manuscrito de la presente introducción, Pilar Vila, mi hermano Francisco J. Hernández, Christopher Maurer y Jesús Antonio Cid, aparte las personas que se citan en el interior del texto.

meración, aquí sólo indicativa, se abre a todos los libros del poeta, con excepción del proyectado Libro de odas, *por lo que de él conocemos, y de* Poeta en Nueva York.

Era idea de Francisco García Lorca, que me comentó en una ocasión, el reunir todos los romances de su hermano en un solo volumen, como muestra, bajo un único registro métrico, de la rica variedad de la voz lorquiana. De la sugestiva oportunidad de aquella idea parte el presente libro, orientado, sin embargo, hacia un campo más limitado. Junto al Primer romancero gitano, *he querido recoger únicamente otros romances procedentes del teatro de Federico García Lorca. De este modo, se individualizan textos poéticos que habitualmente no han sido gustados como piezas sueltas, al tiempo que se evita la desmembración de los diversos libros de poesía, lo que parece impropio en la perspectiva de una colección como la presente. Podrá objetarse la violentación que acaso sufren estos romances del teatro al despojarlos del contexto en el que cobraron vida. Algunos de ellos aparecen en su lugar original dichos por más de un personaje, con una funcionalidad dramática precisa que se desvanece al ofrecerlos aislados. Sin entrar en el análisis del problema —planteado en parecidos términos con la obra de otros poetas dramáticos, como el mismo Lope—, recordemos que el propio García Lorca autorizó ya en vida esta posibilidad con piezas como «Romance de la corrida de toros en Ronda», «Romance de la muerte de Torrijos», «Romance de la talabartera», «Tema de la rosa mudable». Rafael Alberti y Guillermo de Torre actuaron de modo semejante, aunque sin duda con mayor libertad, en su* Antología poética lorquiana *(Buenos Aires, 1943). Para resumir el criterio adoptado, diré que he seleccionado aquellos romances o romancillos que, aun fuera de las obras a las que pertenecen, no por ello carecen de un valor poético autónomo. Si éste, entendido en su plenitud de connotaciones, puede juzgarse como disminuido en algún caso, tal vez el lector no desdeñe la sorpresa de encontrar en este nuevo romancero lorquiano las sales populares del romance de ciego de* La zapatera prodigiosa *(en cuyo fondo ha de imaginarse el correspondiente cartelón de ironizada truculencia), o el romance «metafísico», de planta clásica, que la figura del Arlequín dice con caretas cambiantes en* Así que pasen cinco años. *No obstante, presidido este volumen por los «romances gitanos», las palabras que siguen, más la documentación y cronología crítica que lo cierran, están referidos al* Primer romancero gitano. *Tiempo y ocasión habrá de situar el resto de los romances en sus contextos originales respectivos.*

*

En julio de 1928 se publicaba en Madrid el tercer libro poético, en orden de aparición, de Federico García Lorca: *Romancero gitano*. El volumen, de pequeño formato, impreso en papel de no excesiva calidad, llamaba la atención por el diseño y dibujo de la cubierta, con su vivo contraste de tintas roja y negra. Gabriel Celaya, por aquel entonces estudiante de Ingeniería y pintor, además de jovencísimo miembro de la madrileña Residencia de Estudiantes, ha evocado su reacción cuando vio el libro en un escaparate: «Su autor me era desconocido, y su título —*Romancero gitano*— no me decía nada. Pero había en la cubierta un dibujo en rojo y negro que me fascinó.»[1] El sello del poeta granadino, que ya el año 1927 había realizado una exposición de dibujos en Barcelona, se afirmaba en aquellas líneas y colores, en ruptura con la elegante, pero sobria tipografía de la época, de la que sólo conservaba, sutilmente, el juego de tintas

---

[1] Gabriel Celaya, «Recordando a García Lorca», *El País*, 10-VI-1976.

propio de algunas cubiertas y portadas. Juan Chabás, el crítico y poeta levantino, escribía en una reseña la siguiente descripción: «Sangre roja y cuajada, heridas de infantil caligrafía, escriben el nombre del libro. En equilibrio de gracia esbelta, tres negros girasoles de tinta china o de azabache de tirabuzón gitano sostienen el rótulo, húmedos de ternura, en un búcaro popular que abre su boca de cerámica como una corola rizada de dompedro. Detrás, España roja, también de sangre, con perfil de cresta de gallo más que de piel de toro. En campo de nieve de papel, todo. Debajo, con letras de dibujada y compuesta torpeza, que silabean cada trazo del nombre, la firma del autor: Federico García Lorca. Y una fecha (1924-1927), y un conocido membrete editorial, de estirpe noble ya: 'Revista de Occidente'» *(La Libertad,* 1-IX-1928).

Los datos de la cubierta, con su *Romancero gitano* impreso en rojo, han resultado con el tiempo definitorios del celebérrimo libro. Sin embargo, tanto la portadilla como la portada que abren esta primera edición son las que reproducen el título completo y real del volumen: *Primer romancero gitano.* Este título era también el mismo —y único— que había recogido la publicidad de *Revista de Occidente,* en números de 1928. García Lorca, al dibujar caligráficamente el título, debió optar por su más sencilla reducción. Razones de espacio, el juego de blancos y el calculado tamaño de las letras le impulsarían a ello. Esta verosímil hipótesis nos lleva a preguntarnos sobre el significado del adjetivo numeral. Sin descartar un vago eco gongorino (recordemos por vía de contraste, y sólo en lo que a títulos se refiere, el *Primero sueño* de Sor Juana Inés de la Cruz), cabe presuponer, como declaradamente implícito, el proyecto de un *Segundo romancero gitano.* Contra esta suposición hay que objetar, sin embargo, que ni concuerda con el proceder habitual del poeta, ni está corroborada por documentación alguna. Sí es cierto, en cambio, que García Lorca pensó ampliar el libro en su segunda aparición (Madrid, Revista de Occidente, 1929). En una breve carta familiar inédita indica, en efecto, que quiere añadir, para la segunda edición, «tres romances más que estoy escribiendo». Indudablemente este añadido, de haberse llevado a cabo, no habría supuesto el nacimiento de un nuevo libro de romances, sino la simple ampliación del primero. De todos modos, los tres a los que el poeta aludía no debieron ser terminados. No obstante, su probable escritura, aunque sólo fuera en borrador inacabado, se muestra indirectamente apoyada por el conocimiento que nos proporciona el epistolario lorquiano de romances de los que sólo sabemos el título. Alguno de ellos, como el «Romance del gitanillo apaleado», se da como escrito en carta a Jorge Guillén de 2 de marzo de 1926, por más que hoy nos sea desconocido.

El que García Lorca no pensara realizar una segunda parte de su *Romancero* se confirma, además, por su reiterada afirmación, desde enero de 1927, de que lo gitano no era para él más que un tema, entre otros muchos posibles. De este modo rechazaba el «mito» de su adscripción exclusiva a lo gitano, con la imagen que podría conllevar de poeta iletrado y desgarradamente popular. Insistirá todavía en 1933: «El *Romancero gitano* no es un libro popular, aunque lo sean algunos de su temas.»

Hemos de deducir, por consiguiente, que *Primer romancero gitano* significaba, en el sentir del autor, primer romancero escrito sobre el mundo gitano. García Lorca exaltaba así la novedad de su intento y señalaba la singularidad temática de su libro. Aludidos en sombra quedaban los romances históricos del XIX (todavía presentes, aun de manera personalísima, en sus «Tres romances históricos»), el romancero artístico del Siglo de Oro, los mismos romances viejos. La novedad encerraba su término opuesto: continuidad, en la línea culta, del popu-

11

larísimo molde del romance aplicado a una temática inédita. Como parangón más cercano, el romancero morisco de Lope y Góngora, con su brillante exaltación de un mundo y tipos humanos exóticos, descritos con simpatía tras su *vencimiento*, ya definido a través de vívidas escenas en los romances fronterizos. Así pues, no importa que el tema gitano haya sido tratado por poetas del XIX, siempre de manera parcial y no proclive ni al entusiasmo ni a la estimación. Dentro de la tradición culta, *La gitanilla* de Cervantes, con su idealización del existir gitano y el hallazgo magnífico de Preciosa, acaso representa el modelo que el poeta pudo tener más presente, salvadas las evidentes distancias y diferencias. Ha de observarse, por otra parte, que lo gitano presta al tapiz del libro el color dominante, pero de ningún modo el único.

No obstante, cabe añadir otra razón sustancial, aparte de la temática, por la que el romancero lorquiano se denominó «gitano». García Lorca tal vez quiso señalar que no sólo era el primero que daba vida a un mundo despreciado, sino que reivindicaba la tradicionalidad gitana del romance. Tal como ha observado Andrés Soria, el poeta supo captar dos facetas de los gitanos: «Su valor de depositarios de la tradición y de voceadores de ella con un amaneramiento especial. Y así pudo elevarlos a la categoría de símbolos, acaso regionales, pero de una región en la cual (...) lo castellano se ha conservado en su vigor arcaico» [2]. El gitano no ha sido sólo propagador de un cante con modalidades propias (cante que se fundiría con otras características andaluzas), sino que ha transmitido también, pero más de puertas adentro, el romancero tradicional. Partiendo de la época de Estébanez Calderón, Antonio Mairena ha hablado de un «estilo gitano» peculiar en el canto del romance, dando a enten-

---

[2] «El gitanismo de F. G. L.», *Insula*, núm. 45, 1949, p. 8.

der que han sido sobre todo las mujeres las que más han preservado esta vieja forma poética. Refiriéndose el *cantaor* gitano de Mairena de Alcor a su infancia (nace en 1909), menciona dos nombres femeninos: Vicenta la de Cabrera, «que cantaba por romances y por tangos», y una tía abuela, de nombre Francisca, la cual «cantaba por romances que no se podía aguantar. De ella aprendí el romance de Gerineldos, el de Bernardo del Carpio, el del Conde Niño...»[3]. Hay, pues, entre los gitanos un «cante por romance», como por *soleares* o por *seguiriyas,* si bien su difusión, fuera del círculo de los de la misma raza, haya sido mucho más tardía, bien por el aspecto reiterativo de una melodía aplicada a un texto largo, lo que convertía al romance en poco apto para su canto en público, bien por su carácter de canto más íntimo y familiar, al que no han tenido fácil acceso los extraños. Es indicativo a este propósito el que García Lorca acompañara a Menéndez Pidal, en la recogida de romances que el investigador realizó en 1920 en Granada, por los barrios esencialmente gitanos del Albaicín y del Sacromonte. En el verano de 1921 el poeta comienza el aprendizaje de la guitarra. Escribe entonces a Adolfo Salazar: «Acompaño ya fandangos, peteneras y *er cante de los gitanos:* tarantas, bulerías y [ilegible]. Todas las tardes vienen a enseñarme el Lombardo (un gitano maravilloso) y Frasquito er de La Fuente (otro gitano espléndido). Ambos tocan y cantan de una manera genial, llegando hasta lo más hondo del sentimiento popular.»[4] Puede aducirse otro dato de extrema importancia: según tradición familiar, que me confirma Isabel García Lorca, una

---

[3] *Las confesiones de Antonio Mairena,* ed. A. García Ulecia, Sevilla, 1976, pp. 18-19, 44 y 46-47.

[4] *Trece de Nieve,* 2.ª ép., núm. 1-2, 1976, p. 34. Cuando publiqué esta carta transcribí «tarantas, bulerías y romeras». Hoy me parece más prudente dejar en suspenso la lectura del tercer término, quizá «ramonas».

bisabuela del poeta, Josefa Rodríguez, que será recordada entre los suyos como «la abuela rubia», por el color de su pelo, era de raza gitana. Por otra parte, ya en el hogar de Josefa Rodríguez y Antonio García tenía importancia la afición musical, que transmitieron a sus nietos, entre ellos el padre del poeta [5].

En el caso de García Lorca se produce, por consiguiente, una identificación natural con el mundo gitano, el cual le llega especialmente por medio de la música y el canto. En este sentido, y como luego señalaré más en detalle, el *Primer romancero gitano* está en su origen ligado al *Poema del cante jondo,* del cual se desprende y con el que mantiene claros lazos de unión. El cante jondo, cante gitano-andaluz en su desarrollo moderno, está en la raíz de los dos libros, conviniéndole al *Romancero* la misma apuntada calificación de gitano-andaluz, por la suma de elementos que en él concurren, bien entendido que el romance lorquiano es un romance culto, de sabia complejidad, por más que sus raíces espontáneas se ahínquen en una remota tradición oral.

*

Aun sin haber procedido a un cotejo completo de las siete ediciones del *Romancero* que se hicieron en vida del poeta (la última de 1936), cabe deducir, como explico en las notas finales, que el poeta revisó el texto de la *princeps* al menos en la tercera edición (Buenos Aires, Sur, 1933). Aparte de enmendarse varias erratas, se introducen cambios de puntuación, se añaden blancos y nuevos signos tipográficos, como el guión anunciador de

---

[5] Vid. Francisco García Lorca, *Federico y su mundo,* Madrid, 1980, pp. 28-29.

entrada de diálogo, no usado ni en la edición primera ni en la segunda. Esta última innovación se ve apoyada por los autógrafos, donde el poeta entrecomilla los fragmentos de diálogo de sus romances. (Este uso, no adoptado para el *Romancero*, se observa, sin embargo, en *Canciones*.) La tercera edición presenta otra importante novedad: el título reducido en cubierta y portada, con pérdida del adjetivo numeral. No es seguro que la reducción se deba al poeta, pues la portadilla sigue reproduciendo el título original completo. La contradicción vuelve a producirse del mismo modo en la quinta salida del *Primer romancero gitano* (Madrid, Espasa-Calpe, 1935). En esta edición la viñeta de la cubierta, cuyo texto es de composición tipográfica, es un nuevo dibujo lorquiano: un motivo vegetal (el mismo que acompañará muchas de sus firmas de última época) se enreda en torno a una media luna en creciente sobre la que llueven unas gotas, se supone que de sangre. Dibujo y letras actúan como negativo en blanco sobre un fondo rojo pálido, casi rosa. Por otro lado, esta edición sigue, con leves cambios, el texto de Buenos Aires. La conclusión que se impone es la validez concedida por el autor a la tercera edición de su libro, que ha de ser tenida en cuenta, junto con los autógrafos y versiones previas aparecidas en prensa y revistas, para la fijación del texto del *Romancero* lorquiano.

Otro aspecto a considerar es el de la cronología del *Primer romancero gitano.* El poeta declaró en la misma cubierta de la primera edición, escritos con tipos de máquina de escribir, los años que enmarcan la composición de su libro: 1924-1927. Como en el caso del *Poema del cante jondo,* que García Lorca dataría en 1921, siendo esencialmente fiel a la fecha de redacción del núcleo del libro, nada hay que objetar a los límites cronológicos marcados por el autor para su *Romancero.* No obstante, pueden añadirse algunas matizaciones de interés. Los

.tres años que median entre 1924 y 1927 indican el tiempo clave de escritura del libro, independientemente de que el proyecto pueda ser anterior a 1924, lo que parece difícil de probar, o que alguno de los romances fuera escrito con anterioridad a dicho año.

De acuerdo con la cronología que cierra este libro, la cual me exime de explicaciones en detalle, la «Burla de Don Pedro a caballo» fue escrita, en su primera versión, el 28 de diciembre de 1921, día de los Santos Inocentes. Aunque en aquellos sus primeros años de escritor García Lorca se declare en una carta «estudiante-poeta y pianista-gitano», o selle otra de sus comunicaciones epistolares con «un gran abrazo (estilo gitano)» [6], nada sugiere que el *Primer romancero gitano* hubiera fraguado en la mente del poeta. Esto no impide que la forma romancística, con influjos de Machado y Juan Ramón, esté presente en el primer libro poético del autor, *Libro de poemas* (1921). De 1923 es un romance «escénico», lírico y narrativo, escrito con función de aria para la ópera cómica en un acto *Lola la comedianta:* «Arbolé arbolé.» (El poema pasará luego a *Canciones.*) No es probablemente un error pensar que el propio poeta es personaje tácito del exquisito romance:

> *Cuando la tarde se puso*
> *morada, con luz difusa,*

---

6 La primera cita es de una carta a Antonio Gallego Burín, fechada por su editor en agosto de 1920 (cf. F. G. L., *Cartas, postales, poemas y dibujos,* ed. A. Gallego Morell, Madrid, 1968, p. 112); la segunda pertenece a una carta de principios de 1923, dirigida a Regino Sáinz de la Maza y editada por Antonina Rodrigo (*García Lorca en Cataluña,* Barcelona, 1975, p. 160). Ha de unirse a estos testimonios el «Madrigal de verano», del *Libro de poemas,* fechado por el poeta el mismo mes y año que la primera carta antes aludida: «Junta tu roja boca con la mía, / ¡Oh Estrella la gitana! / Bajo el oro solar del mediodía / Morderé la manzana» *(OC,* I, Madrid, 1977, p. 49).

pasó un joven que llevaba
rosas y mirtos de luna.
    «Vente a Granada, muchacha.»
Y la niña no lo escucha.

Tal vez de 1923 es también el «Romance de la luna luna», si aceptamos el testimonio de un amigo juvenil del poeta, José Mora Guarnido. La temprana fecha podría estar apoyada, aparte otras razones, por el protagonismo infantil de la escena que se dibuja, el mismo de la primera «laguna» de la «Burla de Don Pedro a caballo» y de muchos de los poemas de *Suites* y *Canciones*. Refiriéndose a estos libros, escribe Fernández Almagro en un artículo del mencionado año: «Los niños cantan en una encrucijada del mundo. Nada de color local en el paisaje: todo alude a muchos horizontes. Y el sol y la luna que se suceden, son el sol y la luna de cualquier parte. (No hay Internacional más cierta y firme que la de los niños.) El buen Dios de la infancia puebla cielos y tierra de graciosas fantasías.» Esta afección a lo infantil y su mundo no es de ningún modo prueba concluyente de la fecha aludida del «Romance de la luna luna», pero nos sirve al menos para advertir uno de los lazos de unión del *Romancero* con los libros anteriores. No cabe olvidar, por otro lado, que romances y romancillos se dan en los dos mencionados libros y en el *Poema del cante jondo,* sin que haya que dejar de lado el predominio del octosílabo en *Mariana Pineda,* obra que el poeta, para que no haya duda sobre sus fuentes de inspiración, subtitula «Romance popular en tres estampas». El «Romancillo del bordado» que recitan los hijos de Mariana, más los romances dedicados a la corrida de Ronda y a la muerte de Torrijos son, en clave infantil o romántica, piezas aislables y muy próximas a las del *Primer romancero.* Se cumple así esa apenas analizada interrelación, continua en toda la producción lorquiana, entre obras poéticas y teatrales, que en *Mariana Pineda* desborda los momentos señalados. En su conferencia-recital sobre el *Romancero* García Lorca dejará dicho: «Desde el año 1919, época de mis primeros pasos poéticos, estaba yo preocupado con la forma del romance, porque me daba cuenta que era el vaso donde mejor se amoldaba mi sensibilidad.»

Todo estaba, pues, preparado para la composición de un libro unitario de romances. El momento germinal del proyecto puede situarse en julio de 1924, cuando el poeta escribe sobre una hoja suelta el título de *Romances gitanos* y copia debajo, bajo el número 1, el «Romance de la luna luna», que serviría de pórtico al libro. No está claro, de todos modos, que los indicados título y numeración implicaran necesariamente título de libro pensado como tal. Si clara la idea de una serie de «romances gitanos» (y el plural debe indicar que otros estaban ya escritos o pensados), no debió ser hasta 1926, como señalaré, cuando el *Primer romancero* fragua como unidad desgajada. En 1924, no obstante, podemos documentar el «Romance de la pena negra» y el «Romance sonámbulo», más el comienzo del «Romance de la Guardia Civil española», terminado dos o tres años después. Sólo conocemos un romance fechado en 1925: «La monja gitana». En enero de 1926 fecha el popularísimo «La casada infiel». Poco después escribe el poeta a su hermano Francisco: «El romancero gitano quisiera reservarlo y hacer un libro sólo de romances. Estos días he hecho algunos, como el de *Preciosa* y el "Prendimiento de Antoñito el Camborio". Son interesantísimos. Si me contestas pronto te los mandaré.»

Este fragmento necesita ser situado en su adecuado contexto respecto a la incesante creación de García Lorca. Como descubre la carta citada, a principios de 1926 corrige y proyecta la publicación de tres libros, que habrían salido conjunta o escalonadamente: *Suites, Poema del cante jondo* y *Canciones*. «A costa de un gran esfuerzo», efectúa la corrección y copia manuscrita de todos los poemas. Añade a su hermano: «He visto *completas* cosas que antes no veía y he puesto en equilibrio poesías que cojeaban pero que tenían la cabeza de oro.» Vuelto sobre antiguos borradores, el poeta busca el hilo de oro que dé consistencia y equilibrio a sus creaciones, ahora vistas en su completa trabazón y orden. Con estupenda imagen, que he transfigurado levemente, sabe que el núcleo de sus poemas, a salvo de algún verso o estrofa, está perfectamente prendido como por un alfiler de «cabeza de oro». Es el poema «fijo», sin carencias ni cabos sueltos, que García Lorca tratará de conseguir en los mencionados libros y en el *Primer romancero*. Y es en este momento, febrero de 1926, cuando decide *reservar* (fijémonos en el término) los romances para un libro independiente. Es esta la primera declaración expresa que nos es conocida sobre el libro como proyecto unitario. Como contrapartida, todavía las «canciones andaluzas» estaban adscritas, según la misma carta, al *Poema del cante jondo,* si bien pasarán en 1927 a *Canciones*. Del mismo modo, los «romances gitanos» pudieron ser en su origen una serie incipiente sin destino prefijado.

Prueba de la conformación creciente del libro en 1926 es el envío del «Romance de la luna luna» en carta a M. Fernández Almagro, con cita subsecuente del «Romance de la pena negra», «Romance sonámbulo», «Romance de la Guardia Civil española» y «Romance de Adelaida Flores y Antonio Amaya», del que en realidad sólo conocemos el título, pues el único punto de contacto que ofrece con la primera versión conocida de «La casada infiel» resulta demasiado leve como para suponer que estamos ante un mismo romance diferentemente nombrado. Lo cierto es que García Lorca aludirá, tras la citada enumeración de romances, a «otros de diferentes clases» (por el contexto se supone que escritos), añadiendo a continuación: «Mi idea es hacer un *romancero gitano*.» Si exceptuamos el dedicado a esa desconocida pareja gitana, la copia del primer romance, más la cita de los otros tres, nos retrotrae a 1924, como si la serie hubiera sido retomada, una vez decidido el libro. (Al lado ha de situarse —últimos meses de 1925 o comienzos de 1926— la primera redacción de la «aleluya erótica» *Amor de Don Perlimplín con Belisa en su jardín,* pieza teatral que muestra, junto a otros ejemplos que podrían mencionarse, el entrecruzamiento continuo de obras y proyectos distintos en el mundo creativo del poeta.)

En marzo de 1926 García Lorca anticipará a Jorge Guillén: «Estoy terminando el Romancero gitano.» La afirmación, que repetirá a partir de este momento en cartas sucesivas, va cobrando realidad con la escritura de nuevos romances o la terminación demorada de otros ya empezados tiempo atrás. En el indicado mes cita y comenta a Guillén «La casada infiel», «Preciosa y el aire» y el «Romance del gitanillo apaleado», segundo que nos es desconocido. En agosto, mientras veranea con su familia en Lanjarón, escribe «Reyerta» y «San Miguel», este último descripción de la romería que se realiza en la festividad del arcángel —29 de septiembre—, cuya imagen, nada distinta de la que el poeta describe, se venera en la ermita de San Miguel el Alto, sobre el granadino Cerro del Aceituno. Dos perspectivas abren y cierran este romance de Granada: la imaginada desde las barandas de la terracilla de la Huerta de San Vicente y la que se divisa desde el mismo Cerro, ya convertida en «primor berberisco de gritos y miradores». Es una antigua Granada la evocada, muy próxima a la de la futura *Doña Rosita,* con «manolas», «altos caballeros», «damas de triste porte» y un obispo de Manila de viejos ojos enrojecidos. Pero escrito el romance en Lanjarón («Estoy en Sierra Nevada y bajo muchas tardes al mar. ¡Qué mar prodigioso el Mediterráneo del Sur!»), el poeta pone en escena, en fondo de geografía abarcadora, el mar lejano y la «aurora salobre» que se quiebra en los recodos de la montaña. Es la Granada física y socialmente encerrada, por más que ese mar imaginario finja balcones en su olas (nuevas y fugacísimas barandas en la metáfora subyacente), mientras «las señoritas de Granada se suben a los miradores encalados para ver las montañas y no ver el mar. (...). Por las tardes se visten con trajes de gasas y sedalinas vaporosas y van al paseo, donde corren las fuentes de diamante y hay viejos suplicios de rosas y melancolías de amor. (...). Tienen grandes conchas de nácar con marinas pintadas y así lo ven; tienen grandes caracolas en sus *salas de estrado* y así lo oyen.» [7]

En noviembre, ya en Granada, García Lorca trabaja en el «Romance de la Guardia Civil española» (del que envía un largo fragmento a Guillén) y en el que primeramente llama «Romance del martirio de la gitana Santa Olalla de Mérida». Del martirio colectivo se pasa al martirio de un ser individualizado, consagrado en el martirologio cristiano y elevado, en su evolución fonética popular (Eulalia, Olalla) a topónimo de varios pueblos españoles. Entre ellos existe uno, Santa Olalla, perteneciente a la provincia de Huelva y situado en la ruta

---

[7] Pertenece este texto a una bellísima carta a Ana María Dalí, probablemente de 1926 (*OC*, II, pp. 1273-1274), donde García Lorca describe la vida social de su ciudad como «prodigiosa de poesía y putrefacción lírica», estancada, pues, como el agua de estanques y aljibes (agua muerta), frente a la vida abierta de las ciudades con mar y puerto, Andalucía de Málaga, Cádiz y Sevilla, ésta con su camino para los barcos de vela, Guadalquivir de la «Baladilla de los tres ríos».

Sevilla-Mérida. En uno y otro romance encontramos esas plásticas imágenes tan propias del poeta (y en especial del *Primer romancero),* que parecen de un motivo escultórico o pictórico [8]; así, las manos cortadas de la santa, «que aún pueden cruzarse en tenue / oración decapitada», o la visión de Rosa la de los Camborios, que transfigurada de pronto en una tácita Santa Agueda, gime «con sus dos pechos cortados / puestos en una bandeja». Este motivo iconográfico se repite en el romance de la mártir («el cónsul porta en bandeja / senos ahumados de Olalla»), como si la santa de Mérida se identificase con la citada gitana, las dos perseguidas por semejantes fuerzas opresoras de la inocencia [9]. Y es que García Lorca debió trabajar casi paralelamente en los dos romances. Hablando de los guardias civiles dice en su carta a Guillén: «A veces, sin que se sepa por qué, se convertirán en centuriones romanos.» Entre las casi figuras de nacimiento que se insinúan en la ciudad gitana, no hubieran desdicho tales centuriones —también de paso de Semana Santa—, que sólo se incorporarán al «Martirio de Santa Olalla». Mas los amenazantes signos de muerte, ya efectivos o en potencia, alcanzan intensidad

---

[8] Francisco García Lorca ha señalado, a este propósito, la presencia en la poesía de su hermano de una «tendencia de plastificación y humanización del sentimiento religioso», la cual ejemplifica acertadamente en el recuerdo de un cuadro de Animas (puede pensarse también en pequeños grupos escultóricos con el mismo motivo) proyectándose sobre los versos siguientes del «Martirio»: «Mil arbolillos de sangre / le cubren toda la espalda / y oponen húmedos troncos / al bisturí de las llamas» (obr. cit., p. 31).

[9] Sobre el tema, véase la edición de Allen Josephs y Juan Caballero del *Romancero gitano,* junto con *Poema del cante jondo,* Madrid, 1977, p. 287, más la bibliografía que allí se indica. Un pormenorizado y valioso análisis interpretativo del «Martirio de Santa Olalla», además de edición crítica del romance, es el realizado por Miguel García-Posada, «Un romance mítico: el 'Martirio de Santa Olalla', de García Lorca», *Revista de Bachillerato,* Cuaderno monográfico núm. 2, octubre-diciembre, 1978, pp. 51-62.

semejante. Así, mientras la mártir es sometida a los sufrimientos de la rueda de Santa Catalina, levemente aludida (y magnificada), «un rumor de siemprevivas», flor de muerte, «invade las cartucheras» de los guardias civiles. Consumado el martirio de Olalla, los centuriones, netamente romanos, serán definidos por un color simbólico negativo —el amarillo—, con inmediata superposición cromática del mismo significado: «carne gris», «armaduras de plata». Como nuevos titanes, se atreven incluso a hacer resonar sus armaduras en las puertas del cielo, blasfemo atrevimiento cuando el cuerpo de la santa ha sido ya consumido por el fuego.

Podríamos extremar el paralelo: si Mérida preside el suplicio de la mártir cristiana, otra ciudad será objeto de saqueo y destrucción por el fuego en el primer romance, aunque los escenarios sean claramente distintos. ¿Ciudad innominada la segunda? En dos octosílabos surge el nombre de Jerez de la Frontera, refrendado por la presencia de las botellas de coñac (¿que se hace el muerto al disfrazarse «de noviembre»?) y por el cortejo en el que viene Pedro Domecq entre los tres Reyes Magos. Pero el poeta no es o no quiere ser del todo explícito. Queda flotando la duda de si Jerez no es simple amarre geográfico andaluz, lejano telón donde unos quebradizos «gallos de vidrio» —amenazados en su propio canto y aviso de un alba que alumbrará la culminada destrucción— se alían a un verso de sustantivos en quiasmo —«agua y sombra, sombra y agua»—, superposición de negruras sin fondo. El mismo «almizcle», las «torres de canela», los «sultanes de Persia» dan un tono orientalizante a la ciudad gitana, como de una Palestina imaginada por manos infantiles en el multicolor escenario de un nacimiento. Sobre él se proyectan versos que diseñan con hermosa delicadeza un ámbito que roza el de algunos villancicos navideños. Pero, preguntándose por la ciudad de los gitanos, el poeta dice con orgullo al fin de su romance: «Que te busquen en mi frente. / Juego de luna y arena.» Ciudad, pues, absolutamente imaginaria, sometida a la destrucción absoluta —desierto de arena y luna—, como la propia «frente» del poeta, de donde con clara consciencia han brotado, transformado el mito de Minerva, torres y calles y veletas. No obstante, García Lorca supo descubrir, con un golpe de genialidad, esa su ciudad gitana en la letra de un baile gitano, la cachucha:

> Esta noche mando yo,
> mañana mande quien quiera;
> esta noche he de poner
> en las esquinas banderas.
> Anda, salero,
> cómo ha llovío;
> la calabaza
> se ha florecío.

Esta canción, con baile incluido, fue utilizada por el poeta para su escenificación de *El burlador de Sevilla* con el grupo de La Barraca [10]. Además, el cuarto octosílabo pasará íntegro al romance gitano, asociados en el verso inmediato los términos luna y calabaza, que, como en el «Romance de la pena negra», resultan atraídos por el color amarillo de la flor.

Un talante épico y dramático domina el romance de la destrucción de la ciudad de los gitanos, sorprendida en el ingenuismo de su luminosa fiesta por el poder siniestro de sables y fusiles, de los que surge el viejo fulgor de la pólvora negra, la cual abre en la noche sus momentáneas rosas de fuego. Se vislumbra en el romance el recuerdo del otro antiguo dedicado a «Álora, la

---

[10] El texto, cuyos datos agradezco a Isabel García Lorca, aparece citado por José Mora Guarnido, *F. G. L. y su mundo*, Buenos Aires, 1958, p. 190. Lo cita de nuevo Luis Sáenz de la Calzada, «*La Barraca*». *Teatro universitario*, Madrid, 1976, p. 80.

bien cercada». En éste, moros y moras suben al castillo, para sostener el cerco, las provisiones necesarias y el «oro fino» que hay que resguardar. En los versos lorquianos son «gitanas viejas» las encargadas de huir en la noche «con los caballos dormidos / y las orzas de monedas». Unos y otras suben hacia un lugar elevado: castillo en el primer romance; portal de Belén, en el segundo. Que el portal donde «los gitanos se congregan» está en un alto lo prueba la huida y lucha a través de «calles empinadas». No deja de ser tiernamente irónico que el lugar de protección sea el máximo símbolo religioso de la indefensión de Cristo, un humilde ·portal. Allí, hasta el San José a veces vejado burlescamente en villancicos donde toman parte los gitanos se reviste de grandeza y dignidad: «San José, lleno de heridas / amortaja a una doncella.» Todo será destruido en el absoluto saqueo. Hundidos los tejados tras el incendio de la ciudad, no resta ningún signo de vida: sólo un «túnel de silencio».

Elementos muy dispares han quedado trabados en este ·espléndido «Romance de la Guardia Civil española». Pero lo que es en él dinamismo es casi extática representación en el «Martirio de Santa Olalla», dispuesto a manera de tríptico que culmina, como en un auto sacramental, con el triunfo de la Eucaristía. En todo el romance subyace una alegoría tipológica, parcialmente desarrollada, según la cual· Olalla repite el suplicio de la cruz. El árbol de la Pasión está tácitamente nombrado; los viejos soldados romanos que «juegan o dormitan» son aquellos que se jugaron a los dados la túnica de Cristo («juegan a los dados» decía expresamente una variante suprimida del manuscrito) o los que, en tantas representaciones plásticas, dormitan al pie del sepulcro con la lanza entre las manos. Ambas acciones prefiguran la muerte y subida a la gloria de la mártir, que en la apoteosis final, como de Corpus Christi, aparece «blanca en lo blanco», blancura de virginidad —a la par que de la nieve que ha cubierto el cuerpo torturado— bajo el resplandor de la Custodia.

No deja de ser curioso el origen de los dos versos últimos: «Angeles y serafines / dicen: Santo, Santo, Santo.» Proceden, y agradezco el dato a Isabel García Lorca, de un poema piadoso que se rezaba en su casa los días de tormenta. La criada Dolores, nodriza de Francisco García Lorca e inspiradora de tipos y expresiones en la obra de Federico, no se calmaba en su miedo hasta que doña Vicenta Lorca encendía el cabo de cirio que había sido usado en el monumento del Jueves Santo, al que Dolores atribuía facultades especialmente conjuradoras contra el mal de las tormentas. Una vez encendido en una habitación cerrada, rezaban lo siguiente, sólo en parte recordado:

> *El trisagio que Isaías*
> *escribió con santo celo*
> *lo oyó cantar en el cielo*
> *a angélicas jerarquías.*
>
> ....
>
> *Repita nuestra voz cuanto*
> *ángeles y serafines,*
> *arcángeles y querubines*
> *dicen Santo, Santo, Santo.*

Como puede notarse, dos de los versos del peculiar trisagio se han incorporado al romance con plena naturalidad; coexisten, en cultísima integración, con una imagen global que toma rasgos del mencionado monumento (los «vidrios de colores» imponen un interior iluminado por vidrieras) y de los cuadros barrocos que representan el triunfo de la Eucaristía, la Custodia irradiando como un sol en medio de ángeles y nubes. Si leemos la descripción que el propio poeta hace de la «Semana Santa en

Granada», evocada desde el recuerdo de la niñez, nos penetra de forma más clara la fuente que alimenta la vasta y concretísima imaginación lorquiana: «Entonces era una Semana Santa de encaje, de canarios volando entre los cirios de los monumentos, de aire tibio y melancólico (...) Entonces toda la ciudad era como un lento tiovivo que entraba y salía de las iglesias sorprendentes de belleza, con una fantasía gemela de las grutas de la muerte y las apoteosis del teatro. Había altares sembrados de trigo, altares con cascadas, otros con pobreza y ternura de tiro al blanco; uno, todo de cañas, como un celestial gallinero de fuegos artificiales, y otro, inmenso, con la cruel púrpura, el armiño y la suntuosidad de la poesía de Calderón» *(OC,* I, p. 972). Difícil desentrañar, como en el «hecho poético puro», lo dado por la realidad y lo añadido por la imaginación, que no se desliga del suelo. Y la poesía de Calderón nos lleva de nuevo a los autos sacramentales, a la exaltación del Corpus, a la fascinación ante la cruel púrpura de la sangre y la blanca inocencia del armiño, en el centro el sacrificio arquetípico de Cristo, el Cordero. Tal vez ahora se aclare la imagen de los «ruiseñores en ramos», bordados acaso en un frontal de altar y suscitados en el romance por las previas «gargantas de arroyo», canto *cristalino* de ángeles o humanos en torno a la Olalla glorificada. Muy cerca se anunciaba ya la «Oda al Santísimo Sacramento».

Si el «Martirio de Santa Olalla» tiene una arquitectura dramática, aunque un mundo de representaciones esencialmente plásticas, parte del *Primer romancero* tiene mucho de esa ávida curiosidad infantil ante las figuras —lienzos o tallas— de los altares. No en vano García Lorca definirá su libro como «un retablo de Andalucía». El «San Miguel» granadino atraerá espontáneamente al «San Gabriel» sevillano, erguido como un junco y por ello «enemigo de los sauces» en el romance más alegre de todo el libro, aunque no falten, de acuerdo con una larga tradición poética, imágenes que anuncian la futura Pasión del niño recién concebido. De ahí, por ejemplo, las premonitorias siemprevivas que cierran el romance, las mismas cuyo sentido mortuorio, de creencia popular, aparece explícito en «Lo que dicen las flores», recitado de *Doña Rosita la soltera.* Contra la amenaza de la crucifixión nada puede, por tanto, el arcángel «domador de palomillas», es decir, expresivo y feliz en sus dichos, pues «palomillas» es aquí metáfora de «palabras inspiradas» en virtud de espontánea asociación que nada tiene de irreverente y que el poeta utilizará de modo parecido en su epistolario. Al lado de esta Anunciación gitana ha de ponerse el romance «San Rafael», con la misma disposición bipartita, más una apoteosis o coda final, que el mencionado «San Gabriel», lo que apoya la hipótesis de unas fechas de escritura próximas, probablemente principios de 1927.

Como en el viejo romance de Abenámar, no podían faltar en el *Primer romancero gitano* Córdoba y Sevilla, ciudades que el rey don Juan ofrece como preciadas arras y dote a Granada en su rechazada oferta de matrimonio. Acaso este recuerdo facilita la elección del poeta, pues ningún *a priori* exige, desde fuera del mundo lorquiano, la asociación de San Gabriel con Sevilla. Y, ya puestos sobre el *retablo* los arcángeles que simbolizan las mismas ciudades personificadas en el romance «Arbolé arbolé», García Lorca dispondrá los tres romances en el centro del libro.

Junto a la evocación de los dos últimos arcángeles, cabe situar cronológicamente la escritura del «Thamar y Amnón», uno de los romances más complejos y ricos de todo el libro. En febrero de 1927 el poeta debió revisar otro poema «sevillano», el «Romance con lagunas», no en balde elegido *ex profeso* para su publicación en *Mediodía,* la subtitulada *Revista de Sevilla.* Y escrito y publicado el año anterior «Prendimiento de Antoñito el Camborio», donde se trasluce una de las coplas del vito y el tema taurino origina una de las más brillantes imágenes del libro, es probablemente a comienzos de 1927 cuando escribe el segundo romance sobre el mismo héroe: «Muerte de Antoñito el Camborio». Su relación con «Reyerta» es evidente, incluido el coro de ángeles que participan en la tragedia, aunque con funciones diferentes en cada una de las escenas. Sin embargo, las notas de humor del primer romance se han disuelto en algo mucho más leve en la reyerta familiar de la «Muerte de Antonio el Camborio». Tan sólo se percibe, y muy levemente, en el diálogo que el héroe moribundo mantiene con su propio creador. Y es que este romance está alentado por un aire épico. A ello contribuye su conexión inicial («voces *antiguas*») con el romance tradicional del «Duque de Alba», citado por el poeta en su conferencia de tema granadino *Cómo canta una ciudad de noviembre a noviembre*. Tampoco parece que sea ajena a su sentido dramático la misma rima aguda en «i», inhabitual en español y presente en algún romance antiguo de tema preferentemente dramático, como «La amiga de Bernal Francés» y «La bella malmaridada».

Si creemos tajantemente al poeta, antes de agosto de 1927 estaban escritos los romances anteriormente citados, junto con «Muerto de amor» y «El emplazado», pues en dicho mes declara haber terminado su libro. Mientras tanto, ha publicado en Málaga *Canciones,* el único libro de los tres, con *Suites* y *Poema del cante jondo,* cuya impresión había proyectado para 1927 y que se salvará de las diferencias surgidas entre él y Emilio Prados. Como le reprochará Jorge Guillén en una carta, la culpa la tienen los manuscritos imposibles de Federico, pues tales son los originales que Prados le devuelve copiados a máquina junto con una «lacónica carta» en la que le solicita la revisión de la copia. El poeta granadino, de todos modos, debió insistir en la publicación de *Canciones,* por no ser un libro de tema gitano, como el *Romancero* y parte del *Poema del cante jondo,* y por considerarlo superior a las *Suites.* Con el estreno de *Mariana Pineda,* y ya *Canciones* en la calle, podía ofrecer a lectores, amigos e «imitadores» el reverso «gitano» de la moneda, haciendo notar que no era éste la única cara de su inspiración. Debió ser a principios de 1928 cuando fraguó la publicación del *Primer romancero gitano* en Revista de Occidente, en el momento en que García Lorca comenzaba a sentirse más distanciado del libro, más crítico incluso, inmerso ya en otros proyectos, entre ellos el *Libro de odas.*

*

Lo romano, lo cristiano, lo árabe, lo judío y lo gitano forman el cañamazo transhistórico en el que se dibuja el imaginario mapa lorquiano de lo andaluz en el *Romancero,* por el que igualmente cruzan guardias civiles o contrabandistas. Nada tiene, pues, de extraño que en «Muerto de amor» aparezcan unidos «serafines y gitanos» haciendo sonar unos acordeones, o que la sábana que cubre el cuerpo muerto del Emplazado sea de «duro acento romano», como en un relieve funerario fijo por el mármol. Sin necesidad de hacer historia, García Lorca padece el vivo sentimiento de vivir sobre un suelo nutrido por muertos que pueden cobrar voz. Y es el cante jondo de manera especial el que le proporciona esta profundísima vivencia. De ahí que, hablando de la *siguiriya,* el «cante de los cantes», diga que es «el grito de las generaciones muertas, la aguda elegía de los siglos desaparecidos» *(OC,* I, p. 1006). Por eso asegura en la misma ocasión sobre el cante jondo: «Viene de razas lejanas, atravesando el desierto de los años y las frondas de los vientos marchitos» (p. 1012). Y en versión posterior de su juvenil conferencia sobre el cante jondo, de donde proceden las dos citas anteriores, añadirá lo siguiente: «Lo que no cabe duda es que la guitarra ha construido el cante jondo. Ha labrado, profundizado, la oscura musa judía y árabe antiquísima, pero por eso balbuciente. La guitarra ha occidentalizado el cante y ha hecho belleza sin par, y belleza positiva del drama andaluz, Oriente y Occidente en pugna, que hacen de Bética una isla de cultura» *(OC, I, p. 1029)*.

La música, y expresamente las guitarras, no ha de faltar en el *Romancero,* a veces en clara conexión con alguna de las formas del cante, al que los gitanos han dado, según el poeta, forma definitiva. Ahora bien, si este arte expresa un sentimiento, es por encima de todo la pena, que García Lorca inmediatamente personifica: «La mujer, en el cante jondo, se llama Pena. (...) Es una mujer morena, que quiere cazar pájaros con redes de viento» *(OC, I, p. 1017)*. Estamos ya en el umbral de uno de los primeros romances escritos por el poeta para su libro: «Romance de la pena negra». Dice una soleá, sin duda anterior a Manuel Machado:

> *¿Qué quieres tú que yo tenga?*
> *Que te busco y no te encuentro:*
> *¡m'ajoga la pena negra!* [11]

Soledad Montoya, por tanto, no es más que una personificación de la pena, la cual expresa bajo un cielo nocturno una angustia de tan radical indefinible, «lucha de la inteligencia amorosa con el misterio que la rodea

---

[11] Se recoge en *Los cantos populares españoles,* sección «Celos, quejas y desavenencias», La Novela Corta, III, 105, Madrid, enero de 1918, s. p. Una copla semejante puede señalarse como posible germen de «La casada infiel»: «Y que yo me la llevé a la era, / y que a eso de la media noche / le puse las *aguaeras.*» Agradezco su conocimiento al poeta granadino Antonio Carvajal, quien la escuchó de labios de un pastor de Píñar (Granada).

y no puede comprender». Misterio de Oriente e inteligencia de Occidente conforman, pues, la Pena, personaje que, al decir del poeta, rige todo su libro.

Pero volvamos al mismo terreno. Un martinete, con los martillos insistentes sonando sobre los yunques, define y recoge el trágico insomnio del Emplazado, que sabe que ha de morir. Asimismo, «las guitarras suenan solas» ante San Gabriel o, vueltas «sueño concreto y sin norte», narran con su solo sonido «lo que falta» en el desdibujado relato de la «Burla de Don Pedro». García Lorca, que pondría música propia a algunos de sus romances, parte siempre de la viva conciencia del romance tradicional cantado. Pero la máxima complejidad y riqueza de lo musical se muestra en «Thamar y Amnón». Sobre un fondo oriental de tierra calcinada por el sol, el poeta se adentra ahora en un tema bíblico y judío. La chispa debió partir inicialmente del romance tradicional del mismo asunto, oído tal vez en el Albaicín o en el Sacromonte. Con todo, no ha de olvidarse como posible «ejemplo» paralelo la presencia de temas bíblicos en algunas raras letras del cancionero andaluz, lo mismo que en el romancero tradicional. Valga la cita de esta hermosa copla de Alosno (Huelva):

> *A Isabela en el baño*
> *la vio el rey* Dabí,
> *y se enamoró* d'eya
> *como yo de ti* [12].

Cantos como éste legitiman, aparte otras razones, la fusión gitano-judía del romance, con la concreta presencia del coro de «vírgenes gitanas» que gritan en torno a la Thamar desflorada. El poeta parece escribir entonces bajo el recuerdo preciso de una boda gitana y del canto

---

[12] Aparece citada por Antonio S. Urbaneja, *Cante, cantares y cantarcillos*, Fuengirola (Málaga), 1979, p. 67.

de la alboreá, de donde proceden la poetización de la recogida de las gotas de sangre y los blancos paños enrojecidos tras la consumación del incesto.

Por otro lado, «Thamar y Amnón» es la composición del libro donde más instrumentos musicales aparecen nombrados: panderos, cítaras, flautas y arpa, además del canto de la propia Thamar. Todo el romance se ofrece desde su comienzo estremecido de sonidos. Una luna inmensamente llena («luz maciza») preside un paisaje nocturno de denso verano. Sobre una tierra sin agua se cierne una tormenta veraniega, con truenos lejanos y resplandor de relámpagos: «rumores de tigre y llama». Los rayos, convertidos en duros «nervios de metal», suenan sobre los techos de las casas, a cuyo interior llega el restallido. Se oyen también temerosos y apagados balidos que rizan el aire. La tierra, en fin, está rajada por las grietas de la sequía prolongada («heridas cicatrizadas»), en tanto que las «luces blancas» de la tormenta actúan como cauterios. Este encadenamiento de audaces y condensadas metáforas define el ámbito de la acción del romance a modo de preludio: el escenario natural es un correlato de las pasiones que van a entrar en juego.

Mas tal escenario exige sonidos secos, momentáneos, o apagados, como en sordina sobre un fondo de silencio. De ahí la insistencia (cuatro veces) en la palabra «rumor» o en su plural. Junto a un soñado canto de pájaros, al que se añade la luna metaforizada en «panderos fríos» y las también imaginadas cítaras, se mencionan los ya notados «rumores de tigre y llama», el «rumor entre dientes» de un susurro o palabras que Amnón deja escapar bajo la noche calurosa, el mismo «rumor de rosa encerrada» de la sangre en las pequeñas yemas de los dedos de Thamar, los rumores últimos «de tibia aurora» al despertar el día.

Otros sonidos más discernibles, algunos ya aludidos: balidos de oveja, el canto de Thamar, el de una cobra tendida en musgo de troncos, relincho de caballos, ruido de lucha con el entrechocar de unas espadas, gritos de las vírgenes gitanas, resonancia en la lejanía de los cascos del caballo en el que huye el violador de su hermana. Tal acumulación de sonidos, frente a los que agua de las jarras resulta «oprimida» y el silencio ya no mana sosegado, sino que «brota», se cierra con una imagen que produce sorpresa:

> Y cuando los cuatro cascos
> eran cuatro resonancias,
> David con unas tijeras
> cortó las cuerdas del arpa.

Esta acción sella de manera brutalmente irónica lo que tácitamente está concebido como una gran pieza musical, sugiriéndose que es el propio rey David quien ha narrado al son del arpa el romance [13]. Mas David, el rey cantor, corta con furor las cuerdas, como si quisiera dar a entender que, por amor a su primogénito Amnón, el canto no debe repetirse. Tal vez no sea casual que estos versos cierren el *Primer romancero gitano*.

*

[13] La sugestión musical se hace patente en el manuscrito que conocemos (F. G. L., *Autógrafos,* I, ed. R. Martínez Nadal, Oxford, 1975, p. 180). En el segundo fragmento del romance en esta su versión provisional se puede leer (v. 15): «Thamar estaba cantando.» El poeta tacha luego este verso, que mantendrá en posición posterior, y añade otros dos que, marcados por una interrogación, también desaparecerían: «Gusanos de luz escriben / las cuatro letras del Aria.» Empezado el romance en el doblez de una hoja, escribe enfrente y a la misma altura de los citados versos: «David con unas tijeras / corta las cuerdas del arpa.» Significativamente, son estos los octosílabos que, cambiado el tiempo verbal, cerrarán el relato «cantado».

A la hora de definir el cante jondo, sobre el que escribirá su libro poético en 1921, García Lorca habla de «rarísimo ejemplar de canto primitivo, el más viejo de toda Europa, donde la ruina histórica, el fragmento lírico comido por la arena, aparecen vivos como en la primera mañana de su vida» *(OC,* I, p. 1026). Varios puntos de unión, de los que algunos han quedado señalados, ligan el *Romancero* lorquiano al *Poema del cante jondo.* No obstante, lo que ahora quiero señalar es la natural fusión para el poeta de versos procedentes del «canto primitivo» o de la canción tradicional y sus propios romances. Diría García Lorca en una entrevista de 1933: «Las canciones son como personas. Viven, se perfeccionan, y algunas degeneran, se deshacen, hasta que sólo quedan esos palimpsestos llenos de lagunas y contrasentidos» *(OC,* II, p. 1005). Lo dicho vale igual para canciones que para romances, pues ambos participan, en su sentir y experiencia de poeta y musicólogo, de ese mismo sentido de «ruina histórica», «fragmento lírico» carcomido, «palimpsesto» difícil de descifrar. Mas las carencias no han restado belleza a esas ruinas; puede que al contrario. El fragmentarismo en versiones de algunos romances antiguos, que, según Menéndez Pidal, es uno de los máximos y no buscados logros estéticos de esas piezas poéticas, por ley y obra de la memoria colectiva, impregna de manera personalísima el *Primer romancero.* No es cierta la afirmación del sabio investigador, cuando hace un sumario recuento del éxito del romance en la poesía contemporánea, de que después de 1920· «García Lorca no volvió a intimar con la oscura y difícil tradición» [14]. Esta intimi-

---

[14] En *Romancero hispánico (Hispano-portugués, americano y sefardí). Teoría e historia,* t. II, Madrid, 1968, 2.ª ed., p. 439. Previamente dejó escrito Menéndez Pidal: «Los héroes gitanescos enfrentados con los negros tricornios de la guardia civil, traen consigo el recuerdo deprimente de los romanzones exe-

dad, por vía poética y musical, es de antes y de después. De ella deduce el poeta, al margen de otras fuentes, el presente ahistórico, en verdad mítico, en el que conviven por igual el rey David, unos centuriones romanos, el cónsul de los ingleses o unos contrabandistas de tabaco. Por otro lado, quiere fundir el romance narrativo con el lírico, algo que en la poesía española culta no se había conseguido en el grado de belleza y misterioso cálculo que en él alcanza. Subterráneamente el aludido fragmentarismo le prestaba un sólido apoyo. El desdibujamiento de la anécdota en el «Romance sonámbulo» o en «Muerto de amor», por citar sólo dos claros ejemplos, resulta un hallazgo novísimo, pero profundamente enraizado en la tradición. García Lorca escribe intencionadamente *palimpsestos* líricos, en los que es vano intentar saber con certeza absoluta «lo que pasa».

El arranque de esta actitud puede observarse más al descubierto en la «Burla de Don Pedro a caballo». Su primero y único título fue «Romance con lagunas», además de ser, de todos, el escrito en fecha más temprana. Que ésta fuera el día de los Santos Inocentes de 1921, según he indicado, parece estar relacionado con la burla poética que sufren el protagonista del poema y el lector. La metáfora lexicalizada de «laguna», en cuanto falta de versos o palabras en un texto determinado, está en parte vuelta a su origen no metafórico. El poeta rellena de agua, como de laguna real, los supuestos huecos del poema (que adquiere así una fingida tradicionalidad, García Lorca como simple copista o transmisor que ilustra y comenta los vacíos textuales) y esconde en los cañaverales a los testigos que podrían

crados por Meléndez como consagrados a exaltar la vida airada y el denuedo del forajido (fuera exido) que vive fuera del concierto social.» Añadiría líneas después: «Admiro como quien más el *Romancero gitano*; sólo lamento que el genio poético que lo inspira no avivase otros asuntos, porque los temas en la obra de arte no son cosa secundaria.»

contar la historia completa. Esta, como ciudad dormida al fondo del agua, no es otra cosa que «limo de voces perdidas». Llegado a este punto, el autor juega en el bisel que separa las dos acepciones de «laguna», a la que hace partícipe a la vez del significado real y del metafórico.

Uno de los componentes originarios de esta parcial «desmetaforización» acaso proceda de una ya observada presencia musical: la guitarra. En este instrumento el poeta descubre (véase «Las seis cuerdas», de *Poema del cante jondo)* un «negro aljibe», fuente que «hace llorar a los sueños», definidos como el «sollozo de las almas perdidas» que escapa de la redonda boca de madera. En el romance, los innominados «testigos que conocen lo que falta» aparecen yuxtapuestos al ya recordado «sueño concreto y sin norte» que la madera de la guitarra produce. Como en un sueño, no hay guía ni conocimiento del punto de llegada, a pesar de la concreción de las imágenes. Se ingresa en un ámbito de misterio, el mismo que tienen los «sonidos negros» de la conferencia sobre el duende, donde hablará, con metáfora recurrente, de «las raíces que se clavan en el limo que todos conocemos, que todos ignoramos». Por otra parte, la imagen del aljibe está próxima a la de laguna. Sin que necesariamente la haya originado, no deja de ser curiosa la repetida incidencia de «sueño» como palabra asociada a sonido de guitarra. En los dos casos las seis cuerdas tienen una oscura función narrativa, sean o no sus sonidos palabras ahogadas que se convierten en sollozo musical. El romance, pues, queda subsumido en las tres lagunas, así como éstas, podríamos decir, en el llanto de la guitarra. Y, así como el agua quieta tiene en la obra lorquiana conocidas connotaciones de muerte, el caballero del romance cabalga en una demanda que ya desde el principio sabemos que le conducirá al fracaso de su búsqueda.

De quien se trata, y al menos dos referencias en la prosa del poeta lo reafirman, es de Pedro I el Cruel, rey tan ligado a Sevilla por razones históricas, legendarias y literarias. Conocida es una décima de otro poeta contemporáneo, Jorge Guillén, quien no precisa de explicación alguna cuando escribe este título: «Jardín que fue de don Pedro.» La descripción de dicho jardín nos evoca de inmediato el de los Reales Alcázares sevillanos [14 bis]. Lorca deja también a la adivinación del lector el nombre de la «ciudad de oro», lejana en el camino, adonde se dirige el caballero. El «bosque de cedros», el olor que el aire lleva de «yerbaluisa y romero» parecen referidos al Alcázar y las calles sevillanas, pisadas la primera vez por el poeta en la Semana Santa de 1921, en compañía de su hermano Francisco y de Manuel de Falla [15]. El romancista tan sólo pregunta: «¿Es Belén?» La ciudad palestina es centro en los villancicos navideños de broma y alegría radiante, lo que consuena con la visión que de Sevilla nos proporciona la obra lorquiana. La prueba concluyente, de todos modos, viene dada por la alusión que encierra el verso «por el camino llano», el cual evoca inmediatamente la primera copla de unas sevillanas que el poeta había recogido y que llegaría a adaptar para La Barraca:

> *Camino de Sevilla*
> *camino llano,*

---

14 bis Guillén escribió su poema en Sevilla, 1934, según los datos que recoge José Manuel Blecua en su edición del segundo *Cántico* [1936], Barcelona, 1970, p. 177. No excluyo otra posible alusión guilleniana: don Pedro (Salinas).

15. Cf. Trinidad Durán Medina, *F. G. L. y Sevilla*, Sevilla, 1974, p. 18. J. M. Chacón y Calvo evoca su primer encuentro con el poeta en la Semana Santa sevillana de 1922 («Lorca, poeta tradicional», *Revista de Avance*, V, 45, La Habana, 15 de abril, 1930). El que Chacón y Calvo no mencione ni a Falla ni al hermano del poeta parece surgerir que se trata de un segundo viaje, no de una equivocación del escritor cubano.

> *se enamoró mi niña*
> *de un sevillano* [16].

No obstante, otras son las fuentes que se entrecruzan en el nacimiento del poema. Sin descartar la escena, en un romance viejo, del rey cazador junto a una laguna por los campos de Jerez, sin olvidar tampoco el difuminado eco de la canción premonitoria de *El caballero de Olmedo* [17], ha de señalarse en la raíz la presencia de dos romancillos de la tradición oral, pertenecientes al cancionero infantil: «La muerte ocultada» y «Santa Elena». El héroe del primer romancillo se llama precisamente don Pedro:

> *Ya viene don Pedro,*
> *de la guerra herido,*
> *y viene corriendo*
> *por ver a su hijo.*

Muerto por sus heridas después de ver a su hijo recién nacido, la muerte se le oculta a su mujer, que está recién parida. Enterada al fin, la viuda se encierra en su

---

16 L. Sáenz de la Calzada, obr. cit., p. 64.
17 Cf. *Romancero del rey don Pedro (1368-1800)*, Introducción bibliográfica de Antonio Pérez Gómez, Valencia, 1954, pp. 150-152. Michel Gauthier («Essai d'explication du 'Romance con lagunas, Burla de don Pedro a caballo'», *Les Langues Néo-Latines*, núm. 139, 1956, pp. 1-23) señala la posible dependencia del antiguo romance, forzando la interpretación del de Lorca. Imposible me parece seguir la acreditada interpretación simbólica y religiosa de Charles Marcilly, que identifica don Pedro con la figura del apóstol san Pedro: *Essai d'interprétation de «La burla de Don Pedro a caballo»*, París, 1957. En relación con *El caballero de Olmedo*, cf. Doris Margaret Glasser, «La 'Burla de Don Pedro a caballo' de Lorca», en *F. G. L.*, ed. Ildefonso-Manuel Gil, Madrid, 1973, pp. 199-210. Sobre la ambigüedad de «laguna» en el romance lorquiano, cf. Allen Josephs y Juan Caballero, ed. cit., p. 292.

sala («cierra sus ventanas, / corre sus cortinas») y, en algunas versiones, muere [18].

Admitida la sugestión primera de este relato sobre García Lorca —la venida de don Pedro, las ventanas que preguntan al viento por su llanto—, hemos de acudir al segundo romancillo. Que el poeta conocía la versión granadina («Estando Elenita / bordando corbatas, / la aguja de oro, / el dedal de plata, / pasó un caballero / pidiendo posada...») lo muestra el final del poema «Los ojos», perteneciente a la «Suite de los espejos», precisamente de 1921: «¡Guárdate del viajero, / Elenita que bordas / corbatas!» Por otra parte, al lado de la versión granadina ha de citarse una pontevedresa, recogida por Pedrell en su célebre *Cancionero* y perfectamente conocida por García Lorca, quien la aprovecharía para su escenificación en La Barraca de la *Egloga de Plácida y Victoriano*, de Juan del Encina:

> *Estando cosendo*
> *n'a miña almohada,*
> *miña agulla d'ouro,*
> *meu dedal de prata,*
> *miña tixeiriña*
> *de folla de lata,*
> *pas'un cabaleiro,*
> *pidéume posada...* [19]

---

[18] Cito por Bonifacio Gil, *Cancionero infantil. Antología,* Madrid, 1974, pp. 115-116. Otra versión muy semejante es la recogida por Luis Santullano, *Romancero español,* Madrid, 1934, pp. 1384-1385.

[19] Felipe Pedrell, *Cancionero musical popular español,* t. I, 2.ª ed., Barcelona, s. a., p. 29. Sobre su uso en La Barraca, cf. L. Sáenz de la Calzada, obr. cit., p. 85. Agradezco a Isabel García Lorca y Laura de los Ríos los datos sobre la versión granadina. Pueden consultarse diversas versiones canarias en *La flor de la marañuela. Romancero general de las Islas Canarias,* ed. Diego Catalán, t. II, Madrid, 1969. Véase, por ejemplo, la núm. 261, p. 214.

Cabría añadir una segunda tirada:

> —*Abrem'a portiña,*
> *cérram'o postigo,*
> *dam'o teu lenciño,*
> *¡ay, meu ben!*
> *que veño ferido.*
> —*Pois si ves ferido*
> *ves a mala hora,*
> *qu'as miñas portiñas,*
> *¡ay, meu ben!,*
> *non s'abren agora.*

Si aceptamos la hipotética fusión por parte de García Lorca de los dos romancillos gallegos, cuyos versos he yuxtapuesto [20], la versión resultante simplifica al máximo la trágica historia de santa Elena, que queda convertida en mero requerimiento de casa y cuidados por parte del caballero que llega herido (no se sabe de dónde ni por qué) ante la puerta de una muchacha que está bordando. El pañuelo que solicita el caballero, quien es rechazado sin conmiseración, no es probablemente para enjugar su llanto, sino para vendar o taponer sus heridas, que bien pudieran ser de origen amoroso. García Lorca inviste al caballero de su versión de un llanto oscuro, y le hace llegar a un lugar habitado («todas las ventanas») en busca «del pan y del beso».

La indeterminación de los hexasílabos gallegos persiste en los lorquianos, tan desconocida, en uno y otro

---

[20] Sigo en esto a Federico de Onís y Emilio de Torre, quienes fundieron en uno los dos fragmentos de romance que Pedrell recoge en su citado t. I, núms. 33 y 47: *Canciones españolas (Spanish folk songs)*, Nueva York, 1931, pp. 13-14. Dado el año de aparición de esta breve antología folklórica, cabe interpretar, como mera hipótesis, que la iniciativa de la yuxtaposición de los dos textos pudo ser sugerida por García Lorca. Al margen de esta posibilidad, ha de pensarse en el profundo conocimiento que tuvo el poeta del *Cancionero* de Pedrell.

romance, la causa real de heridas y llanto. No obstante, en el poema del granadino el caballero monta un caballo «ágil» y «sin freno», caballo, pues, de pasión indomeñable que la razón —el jinete— no puede regir, despeñándose en el fracaso. No es otra la causa por la que el caballo, símbolo erótico y pasional de antiquísimo abolengo, será encontrado muerto, calificado entonces como «sombrío» al igual que el llanto de su jinete [21]. *El rey don Pedro en Madrid,* comedia que los críticos disputan entre Lope y Tirso, ofrece un motivo semejante en torno a la montura del rey, si bien la coherencia del poeta moderno es sólo suya. Y quizá es momento de recordar que Pedro I, el rey cruel o justiciero, ha sido también conocido históricamente como «el Enamorado». En una lista de títulos de romances que García Lorca escribe al margen del borrador de su «Romance del emplazado» consignará, de modo provisional, pero significativo, el de «Don Pedro enamorado».

En la «Burla» todo parece ocurrir en una especie de sueño o semisueño, umbral de vida y muerte. Frente al color y aromas que definen la ciudad por la que entra el caballero, éste, en brusca ruptura, que los mismos versos marcan, «pasa por arcos rotos». Quizás traída de monumentos arquitectónicos del Barroco, salta la imagen de estos arcos a la poesía y el teatro lorquianos. Su claro sentido fúnebre se percibe en *El público* y en *Poeta en Nueva York.* Por si hubiera dudas sobre el ignoto destino de don Pedro, las dos mujeres y un viejo que le salen al paso van al cementerio. No así don Pedro mismo, cuyo final poemático es otro. Mas ¿por qué «dos mujeres y un viejo», los cuales pareciera que están a la espera del jinete tras los arcos rotos? El resplandor de

---

[21] Sobre el simbolismo tradicional de caballo y jinete, cf. Angel Valbuena Briones, «El emblema simbólico de la caída del caballo», en *Calderón y la comedia nueva,* Madrid, 1977, páginas 88-105.

los «velones de plata» con que se iluminan les presta un carácter de sombrías apariciones. Luz de farol o de velones se derrama sobre los muertos que aparecen en el *Poema del cante jondo,* así como la asociación plata-muerte conoce abundantes ejemplos en la obra lorquiana. Admitido que el protagonista del «romance histórico» sea Pedro el Cruel, lo que confirma el final del oscuro relato, las dos mujeres han de ser la joven esposa del rey, Blanca de Borbón, y la amante de don Pedro, María de Padilla, muertas las dos en 1361, la una en Medina Sidonia y la segunda en Sevilla. El viejo parece encarnación en uno de varios personajes de leyenda, incluido el famosísimo zapatero, a quien Zorrilla hace de setenta años antes de que muera acuchillado al comienzo de la primera parte de *El zapatero y el rey.* Junto a él ha de situarse el clérigo que el rey había matado en un convento sevillano y que hará de Sombra agorera en la citada comedia áurea, *El rey don Pedro en Madrid.* Argumentos habría en favor de uno y otro, pudiéndoseles añadir nuevos personajes. Pero esto, además de llevarnos lejos, rompería la más poética ambigüedad con que el poeta ha ensombrecido voluntariamente a damas y anciano. Baste decir que, tanto en romances antiguos como en las abundantes comedias del Siglo de Oro en los que participa don Pedro, su figura aparece sometida por lo común a augurios y apariciones. Al lado de esto, y como bien entenderá Zorrilla, se nos retrata un hombre que no teme pasear solo y como simple caballero de a pie las calles nocturnas de Sevilla. De este modo el rey se prueba a sí mismo su valor de hombre, capaz de arrostrar cualquier peligro. De ahí también el magnífico hallazgo dramático y psicológico de la doble personalidad que se le atribuye, según la cual dirá «no» como rey en lo mismo que dice «sí» como don Pedro. En el primer caso juzga de acuerdo con su autoridad; en el segundo, por su simple valor de hom-

43

bre guiado por el honor. El desdoblamiento se justifica porque don Pedro ha mostrado previamente una temeridad a toda prueba, capaz, como don Juan, de combatir si es preciso con los muertos. El repetido motivo del sí y del no, que Moreto retoma en *El valiente justiciero,* puede que resuene como un eco burlesco en los versos lorquianos: «Los chopos dicen: No. / Y el ruiseñor: Veremos.» Sin embargo, chopos y ruiseñor de lo que dictaminan es del último paso del relato y, por consiguiente, del propio destino de don Pedro.

Las escenas del romance se vuelven aún más borrosas tras la segunda laguna. Muerto el caballo, un inmenso crepúsculo parece incendiar la ciudad con sus luces, mientras una luna quizá desvaída («unicornio de ausencia») se quiebra en el cristal del agua. Sabedor de una desgracia que nos es desconocida, acaso la muerte del rey, «un hombre va llorando / tierras adentro». Antes, una «voz secreta» ha hecho transmitir por el cielo el lamento («balaba») de lo acaecido. Mientras tanto, luce al norte la estrella del destino y al sur un marinero apresta tal vez su barco para un viaje: ¿el del rey ya muerto, doble el marinero de la imagen de Caronte?

García Lorca ha dispuesto sus figuras dentro de un relato y escenario incompletos, el rey justiciero convertido en rey en demanda de amor. La burla, al fin, halla cumplida forma en la visión del caballero jugando con las ranas, lo que representa, por alusión a la vieja fábula de Esopo, su máximo fracaso. En la versión de Samaniego, «Las ranas pidiendo rey», Júpiter, ante la denodada petición de los ruidosos animalillos, «arroja un Rey de palo a la laguna» en la que habitan. Tras el primer susto, las ranas pronto se recobran y empiezan a encaramarse al madero, al que han perdido todo temor. Don Pedro, pues, y de ahí el ¡ay! del poeta al fin de su poema, no es al término de su camino más que un rey de las ranas, todo su valor y lucha convertidos en trágica burla. Mas la perdición de don Pedro nace de una frustración y fracaso de índole amorosa, como si García Lorca quisiera mostrar tácitamente el poder destructor de la pasión, capaz de conducir a la muerte al rey más valiente. Con el mismo motivo, aun siendo otro el engarce, recogió el Arcipreste de Hita la citada fábula. Antes de entrar en ella, escribió: «Amor, quien más te sigue, quémasle cuerpo y alma; / destrúyeslo del todo, como el fuego a la rama.»

Tal vez sea de interés una última observación: en ningún momento el poeta moderno nos dice que esté hablando de un rey, si no es, alusivamente, en el último momento de su «Burla». En el desdoblamiento barroco Lorca ha elegido al hombre que se buscaba y probaba a sí mismo, dando vida a uno de los dos don Pedro de la tradición, al que conduce a la muerte no por mano de don Enrique y el traidor Du Guesclin, sino vuelto simple, aunque mítico, mortal. Estamos ya muy lejos de Zorrilla y del Duque de Rivas. De sorpresa en sorpresa y laguna en laguna el jinete de sombría montura se ha transformado en burlado rey de palo, flotando finalmente «sobre la flor enfriada» de su pasión como los suspiros en el «negro aljibe» de una guitarra de sollozos.

Que el poeta aludiera a la Pena como personaje dominante en su retablo romancístico halla aquí cabal confirmación. No se contradice esto con lo que declara sobre su libro en una entrevista de 1931: «Romances de varios personajes aparentes que tienen un solo personaje esencial: Granada». Lejana ya la escritura de su *Primer romancero gitano,* García Lorca estaba ahora definiendo su propia voz y su poesía, de indesmentible raíz elegíaca. Valga el claro contraste expuesto en el *Homenaje a Soto de Rojas* (1926): «Sevilla es el hombre y el concepto sensual y sentimental. Es la intriga política y el arco de triunfo. Don Pedro y don Juan.

Está llena de elemento humano y su voz arranca lágrimas porque todos la entienden. Granada es como la narración de lo que ya pasó en Sevilla. Hay un vacío de cosa definitivamente acabada. Una armonía de viejas emociones, que hay que sorprender cuando están dormidas para que no se escapen.» Insistirá en la misma interpretación cuando escribe su impar conferencia sobre Granada, *Cómo canta una ciudad de noviembre a noviembre* (1933). Adscribirá entonces a Sevilla, «ciudad de Don Juan, ciudad del amor, una expresión dramática», la cual —añade— culmina en Lope, Tirso, Beaumarchais y la prosa de Bécquer. Es el dramatismo que, aparte otras implicaciones, se vuelca sobre personajes como el don Pedro lorquiano, retomado de una tradición dramática, pero trasvasado a un plano «granadino». En el sentir del poeta, una expresión lírica se adueña de Granada, «y si en Sevilla el elemento humano domina el paisaje y entre cuatro paredes se pasean Don Pedro y Don Alonso y el Duque Octavio de Nápoles y Fígaro y Mañara, en Granada se pasean los fantasmas por sus dos palacios vacíos...». En la ya aludida prosa sobre la Semana Santa granadina (1936), García Lorca todavía recomendará: «El que quiera estar en una tertulia de fantasmas (...) vaya a la interior, a la oculta Granada.» Ni la ciudad mítica que el poeta alumbró, ni su propia poesía, están a la luz del mediodía, aunque ésta pueda refulgir en sus versos, «limo de voces perdidas», deshechas y conformadas por el tiempo, fuerza que convoca con igual virtud a lo más vivo y a lo desaparecido y más remoto.

MARIO HERNÁNDEZ

I

PRIMER ROMANCERO
GITANO
1924-1927

1

ROMANCE DE LA LUNA, LUNA

A Conchita García Lorca

La luna vino a la fragua
con su polisón de nardos.
El niño la mira, mira.
El niño la está mirando.
En el aire conmovido
mueve la luna sus brazos
y enseña, lúbrica y pura,
sus senos de duro estaño.
—Huye luna, luna, luna.
Si vinieran los gitanos,
harían con tu corazón
collares y anillos blancos.
—Niño, déjame que baile.
Cuando vengan los gitanos,
te encontrarán sobre el yunque
con los ojillos cerrados.
—Huye luna, luna, luna,
que ya siento sus caballos.

—Niño, déjame, no pises
mi blancor almidonado.

   El jinete se acercaba
tocando el tambor del llano.
Dentro de la fragua el niño
tiene los ojos cerrados.
Por el olivar venían,
bronce y sueño, los gitanos.
Las cabezas levantadas
y los ojos entornados.

   Cómo canta la zumaya,
¡ay, cómo canta en el árbol!
Por el cielo va la luna
con un niño de la mano.

   Dentro de la fragua lloran,
dando gritos, los gitanos.
El aire la vela, vela.
El aire la está velando.

2

PRECIOSA Y EL AIRE

A Dámaso Alonso

Su luna de pergamino
Preciosa tocando viene,
por un anfibio sendero
de cristales y laureles.
El silencio sin estrellas,
huyendo del sonsonete,
cae donde el mar bate y canta
su noche llena de peces.
En los picos de la sierra
los carabineros duermen
guardando las blancas torres
donde viven los ingleses.
Y los gitanos del agua
levantan, por distraerse,
glorietas de caracolas
y ramas de pino verde.

*

Su luna de pergamino
Preciosa tocando viene.
Al verla se ha levantado
el viento, que nunca duerme.
San Cristobalón desnudo,
lleno de lenguas celestes,
mira a la niña tocando
una dulce gaita ausente.

—Niña, deja que levante
tu vestido para verte.
Abre en mis dedos antiguos
la rosa azul de tu vientre.

Preciosa tira el pandero
y corre sin detenerse.
El viento-hombrón la persigue
con una espada caliente.

Frunce su rumor el mar.
Los olivos palidecen.
Cantan las flautas de umbría
y el liso gong de la nieve.

¡Preciosa, corre, Preciosa,
que te coge el viento verde!
¡Preciosa, corre, Preciosa!
¡Míralo por dónde viene!
Sátiro de estrellas bajas
con sus lenguas relucientes.

*

Preciosa, llena de miedo,
entra en la casa que tiene
más arriba de los pinos,
el cónsul de los ingleses.

Asustados por los gritos
tres carabineros vienen,
sus negras capas ceñidas
y los gorros en las sienes.

El inglés da a la gitana
un vaso de tibia leche,
y una copa de ginebra
que Preciosa no se bebe.

Y mientras cuenta, llorando,
su aventura a aquella gente,
en las tejas de pizarra
el viento, furioso, muerde.

3

REYERTA

A *Rafael Méndez*

En la mitad del barranco
las navajas de Albacete,
bellas de sangre contraria,
relucen como los peces.
Una dura luz de naipe
recorta en el agrio verde
caballos enfurecidos
y perfiles de jinetes.
En la copa de un olivo
lloran dos viejas mujeres.
El toro de la reyerta
se sube por las paredes.
Angeles negros traían
pañuelos y agua de nieve.
Angeles con grandes alas
de navajas de Albacete.
Juan Antonio el de Montilla
rueda muerto la pendiente,

su cuerpo lleno de lirios
y una granada en las sienes.
Ahora monta cruz de fuego
carretera de la muerte.

*

El juez, con guardia civil,
por los olivares viene.
Sangre resbalada gime
muda canción de serpiente.
Señores guardias civiles:
Aquí pasó lo de siempre.
Han muerto cuatro romanos
y cinco cartagineses.

*

La tarde loca de higueras
y de rumores calientes,
cae desmayada en los muslos
heridos de los jinetes.
Y ángeles negros volaban
por el aire de poniente.
Angeles de largas trenzas
y corazones de aceite.

4

ROMANCE SONAMBULO

A Gloria Giner
y
A Fernando de los Ríos

Verde que te quiero verde.
Verde viento. Verdes ramas.
El barco sobre la mar
y el caballo en la montaña.
Con la sombra en la cintura,
ella sueña en su baranda,
verde carne, pelo verde,
con ojos de fría plata.
Verde que te quiero verde.
Bajo la luna gitana,
las cosas la están mirando
y ella no puede mirarlas.

*

Verde que te quiero verde.
Grandes estrellas de escarcha
vienen con el pez de sombra
que abre el camino del alba.

56

La higuera frota su viento
con la lija de sus ramas,
y el monte, gato garduño,
eriza sus pitas agrias.
Pero ¿quién vendrá? ¿Y por dónde?...
Ella sigue en su baranda,
verde carne, pelo verde,
soñando en la mar amarga.

*

—Compadre, quiero cambiar
mi caballo por su casa,
mi montura por su espejo,
mi cuchillo por su manta.
Compadre, vengo sangrando,
desde los puertos de Cabra.
—Si yo pudiera, mocito,
este trato se cerraba.
Pero yo ya no soy yo,
ni mi casa es ya mi casa.
—Compadre, quiero morir
decentemente en mi cama.
De acero, si puede ser,
con las sábanas de holanda.
¿No ves la herida que tengo
desde el pecho a la garganta?
—Trescientas rosas morenas
lleva tu pechera blanca.
Tu sangre rezuma y huele
alrededor de tu faja.
Pero yo ya no soy yo,
ni mi casa es ya mi casa.
—Dejadme subir al menos
hasta las altas barandas,

¡dejadme subir!, dejadme
hasta las verdes barandas.
Barandales de la luna
por donde retumba el agua.

*

Ya suben los dos compadres
hacia las altas barandas.
Dejando un rastro de sangre.
Dejando un rastro de lágrimas.
Temblaban en los tejados
farolillos de hojalata.
Mil panderos de cristal
herían la madrugada.

*

Verde que te quiero verde,
verde viento, verdes ramas.
Los dos compadres subieron.
El largo viento, dejaba
en la boca un raro gusto
de hiel, de menta y de albahaca.
—¡Compadre! ¿Dónde está, dime,
dónde está tu niña amarga?
—¡Cuántas veces te esperó!
¡Cuántas veces te esperara,
cara fresca, negro pelo,
en esta verde baranda!

*

Sobre el rostro del aljibe
se mecía la gitana.
Verde carne, pelo verde,
con ojos de fría plata.

Un carámbano de luna
la sostiene sobre el agua.
La noche se puso íntima
como una pequeña plaza.
Guardias civiles borrachos
en la puerta golpeaban.
Verde que te quiero verde.
Verde viento. Verdes ramas.
El barco sobre la mar.
Y el caballo en la montaña.

LA MONJA GITANA

A José Moreno Villa

Silencio de cal y mirto.
Malvas en las hierbas finas.
La monja borda alhelíes
sobre una tela pajiza.
Vuelan, en la araña gris,
siete pájaros del prisma.
La iglesia gruñe a lo lejos
como un oso panza arriba.
¡Qué bien borda! ¡Con qué gracia!
Sobre la tela pajiza,
ella quisiera bordar
flores de su fantasía.
¡Qué girasol! ¡Qué magnolia
de lentejuelas y cintas!
¡Qué azafranes y qué lunas,
en el mantel de la misa!
Cinco toronjas se endulzan
en la cercana cocina.

Las cinco llagas de Cristo
cortadas en Almería.
Por los ojos de la monja
galopan dos caballistas.
Un rumor último y sordo
le despega la camisa,
y al mirar nubes y montes
en las yertas lejanías,
se quiebra su corazón
de azúcar y yerbaluisa.
¡Oh, qué llanura empinada
con veinte soles arriba!
¡Qué ríos puestos de pie
vislumbra su fantasía!
Pero sigue con sus flores,
mientras que de pie, en la brisa,
la luz juega el ajedrez
alto de la celosía.

6

LA CASADA INFIEL

A Lydia Cabrera y a su negrita

Y que yo me la llevé al río
creyendo que era mozuela,
pero tenía marido.

Fue la noche de Santiago
y casi por compromiso.
Se apagaron los faroles
y se encendieron los grillos.
En las últimas esquinas
toqué sus pechos dormidos,
y se me abrieron de pronto
como ramos de jacintos.
El almidón de su enagua
me sonaba en el oído,
como una pieza de seda
rasgada por diez cuchillos.
Sin luz de plata en sus copas
los árboles han crecido

y un horizonte de perros
ladra muy lejos del río.

*

Pasadas las zarzamoras,
los juncos y los espinos,
bajo su mata de pelo
hice un hoyo sobre el limo.
Yo me quité la corbata.
Ella se quitó el vestido.
Yo el cinturón con revólver.
Ella sus cuatro corpiños.
Ni nardos ni caracolas
tienen el cutis tan fino,
ni los cristales con luna
relumbran con ese brillo.
Sus muslos se me escapaban
como peces sorprendidos,
la mitad llenos de lumbre,
la mitad llenos de frío.
Aquella noche corrí
el mejor de los caminos,
montado en potra de nácar
sin bridas y sin estribos.
No quiero decir, por hombre,
las cosas que ella me dijo.
La luz del entendimiento
me hace ser muy comedido.
Sucia de besos y arena
yo me la llevé del río.
Con el aire se batían
las espadas de los lirios.

Me porté como quien soy.
Como un gitano legítimo.

Le regalé un costurero
grande, de raso pajizo,
y no quise enamorarme
porque, teniendo marido,
me dijo que era mozuela
cuando la llevaba al río.

7

ROMANCE DE LA PENA NEGRA

A José Navarro Pardo

Las piquetas de los gallos
cavan buscando la aurora,
cuando por el monte oscuro
baja Soledad Montoya.
Cobre amarillo, su carne
huele a caballo y a sombra.
Yunques ahumados, sus pechos
gimen canciones redondas.
—Soledad: ¿por quién preguntas
sin compaña y a estas horas?
—Pregunte por quien pregunte,
dime: ¿a ti qué se te importa?
Vengo a buscar lo que busco,
mi alegría y mi persona.
—Soledad de mis pesares,
caballo que se desboca,
al fin encuentra la mar
y se lo tragan las olas.

—No me recuerdes el mar
que la pena negra, brota
en las tierras de aceituna
bajo el rumor de las hojas.
—¡Soledad, qué pena tienes!
¡Qué pena tan lastimosa!
Lloras zumo de limón
agrio de espera y de boca.
—¡Qué pena tan grande! Corro
mi casa como una loca,
mis dos trenzas por el suelo
de la cocina a la alcoba.
¡Qué pena! Me estoy poniendo
de azabache, carne y ropa.
¡Ay mis camisas de hilo!
¡Ay mis muslos de amapola!
—Soledad: lava tu cuerpo
con agua de las alondras,
y deja tu corazón
en paz, Soledad Montoya.

*

Por abajo canta el río:
volante de cielo y hojas.
Con flores de calabaza
la nueva luz se corona.
¡Oh pena de los gitanos!
Pena limpia y siempre sola.
¡Oh pena de cauce oculto
y madrugada remota!

8

SAN MIGUEL
(GRANADA)

A Diego Buigas de Dalmáu

SAN MIGUEL

Se ven desde las barandas,
por el monte, monte, monte,
mulos y sombras de mulos
cargados de girasoles.

Sus ojos en las umbrías
se empañan de inmensa noche.
En los recodos del aire
cruje la aurora salobre.

Un cielo de mulos blancos
cierra sus ojos de azogue,
dando a la quieta penumbra
un final de corazones.
Y el agua se pone fría
para que nadie la toque.
Agua loca y descubierta
por el monte, monte, monte.

*

San Miguel,lleno de encajes
en la alcoba de su torre,
enseña sus bellos muslos
ceñidos por los faroles.

Arcángel domesticado
en el gesto de las doce,
finge una cólera dulce
de plumas y ruiseñores.
San Miguel canta en los vidrios,
efebo de tres mil noches,
fragante de agua colonia
y lejano de las flores.

*

El mar baila por la playa
un poema de balcones.
Las orillas de la luna
pierden juncos, ganan voces.
Vienen manolas comiendo
semillas de girasoles,
los culos grandes y ocultos
como planetas de cobre.
Vienen altos caballeros
y damas de triste porte,
morenas por la nostalgia
de un ayer de ruiseñores.
Y el obispo de Manila,
ciego de azafrán y pobre,
dice misa con dos filos
para mujeres y hombres.

*

San Miguel se estaba quieto
en la alcoba de su torre,
con las enaguas cuajadas
de espejitos y entredoses.

San Miguel, rey de los globos
y de los números nones,
en el primor berberisco
de gritos y miradores.

9

SAN RAFAEL
(CORDOBA)

A Juan Izquierdo Croselles

SAN RAFAEL

Coches cerrados llegaban
a las orillas de juncos
donde las ondas alisan
romano torso desnudo.
Coches, que el Guadalquivir
tiende en su cristal maduro,
entre láminas de flores
y resonancias de nublos.
Los niños tejen y cantan
el desengaño del mundo
cerca de los viejos coches
perdidos en el nocturno.
Pero Córdoba no tiembla
bajo el misterio confuso,
pues si la sombra levanta
la arquitectura del humo,
un pie de mármol afirma
su casto fulgor enjuto.

Pétalos de lata débil
recaman los grises puros
de la brisa, desplegada
sobre los arcos de triunfo.
Y mientras el puente sopla
diez rumores de Neptuno,
vendedores de tabaco
huyen por el roto muro.

II

Un solo pez en el agua
que a las dos Córdobas junta.
Blanda Córdoba de juncos.
Córdoba de arquitectura.
Niños de cara impasible
en la orilla se desnudan,
aprendices de Tobías
y Merlines de cintura,
para fastidiar al pez
en irónica pregunta
si quiere flores de vino
o saltos de media luna.
Pero el pez que dora el agua
y los mármoles enluta,
les da lección y equilibrio
de solitaria columna.
El Arcángel aljamiado
de lentejuelas oscuras,
en el mitin de las ondas
buscaba rumor y cuna.

*

Un solo pez en el agua.
Dos Córdobas de hermosura.
Córdoba quebrada en chorros.
Celeste Córdoba enjuta.

10

SAN GABRIEL
(SEVILLA)

A D. Agustín Viñuales

SAN GABRIEL

Un bello niño de junco,
anchos hombros, fino talle,
piel de nocturna manzana,
boca triste y ojos grandes,
nervio de plata caliente,
ronda la desierta calle.
Sus zapatos de charol
rompen las dalias del aire,
con los dos ritmos que cantan
breves lutos celestiales.
En la ribera del mar
no hay palma que se le iguale,
ni emperador coronado,
ni lucero caminante.
Cuando la cabeza inclina
sobre su pecho de jaspe,
la noche busca llanuras
porque quiere arrodillarse.

Las guitarras suenan solas
para San Gabriel Arcángel,
domador de palomillas
y enemigo de los sauces.
—San Gabriel: el niño llora
en el vientre de su madre.
No olvides que los gitanos
te regalaron el traje.

II

Anunciación de los Reyes,
bien lunada y mal vestida,
abre la puerta al lucero
que por la calle venía.
El Arcángel San Gabriel,
entre azucena y sonrisa,
biznieto de la Giralda,
se acercaba de visita.
En su chaleco bordado
grillos ocultos palpitan.
Las estrellas de la noche,
se volvieron campanillas.
—San Gabriel: aquí me tienes
con tres clavos de alegría.
Tu fulgor abre jazmines
sobre mi cara encendida.
—Dios te salve, Anunciación.
Morena de maravilla.
Tendrás un niño más bello
que los tallos de la brisa.
—¡Ay San Gabriel de mis ojos!
¡Gabrielillo de mi vida!
Para sentarte yo sueño
un sillón de clavellinas.

—Dios te salve, Anunciación,
bien lunada y mal vestida.
Tu niño tendrá en el pecho
un lunar y tres heridas.
—¡Ay San Gabriel que reluces!
¡Gabrielillo de mi vida!
En el fondo de mis pechos
ya nace la leche tibia.
—Dios te salve, Anunciación.
Madre de cien dinastías.
Aridos lucen tus ojos,
paisajes de caballista.

*

El niño canta en el seno
de Anunciación sorprendida.
Tres balas de almendra verde
tiemblan en su vocecita.

Ya San Gabriel en el aire
por una escala subía.
Las estrellas de la noche
se volvieron siemprevivas.

11

PRENDIMIENTO DE ANTOÑITO EL CAMBORIO EN EL CAMINO DE SEVILLA

A Margarita Xirgu

Antonio Torres Heredia,
hijo y nieto de Camborios,
con una vara de mimbre
va a Sevilla a ver los toros.
Moreno de verde luna,
anda despacio y garboso.
Sus empavonados bucles
le brillan entre los ojos.
A la mitad del camino
cortó limones redondos,
y los fue tirando al agua
hasta que la puso de oro.
Y a la mitad del camino,
bajo las ramas de un olmo,
Guardia Civil caminera
lo llevó codo con codo.

*

El día se va despacio,
la tarde colgada a un hombro,
dando una larga torera
sobre el mar y los arroyos.
Las aceitunas aguardan
la noche de Capricornio,
y una corta brisa, ecuestre,
salta los montes de plomo.
Antonio Torres Heredia,
hijo y nieto de Camborios,
viene sin vara de mimbre
entre los cinco tricornios.

—Antonio, ¿quién eres tú?
Si te llamaras Camborio,
hubieras hecho una fuente
de sangre con cinco chorros.
Ni tú eres hijo de nadie,
ni legítimo Camborio.
¡Se acabaron los gitanos
que iban por el monte solos!
Están los viejos cuchillos
tiritando bajo el polvo.

*

A las nueve de la noche
lo llevan al calabozo,
mientras los guardias civiles
beben limonada todos.
Y a las nueve de la noche
le cierran el calabozo,
mientras el cielo reluce
como la grupa de un potro.

12

MUERTE DE ANTOÑITO EL CAMBORIO

A José Antonio Rubio Sacristán

    Voces de muerte sonaron
cerca del Guadalquivir.
Voces antiguas que cercan
voz de clavel varonil.
Les clavó sobre las botas
mordiscos de jabalí.
En la lucha daba saltos
jabonados de delfín.
Bañó con sangre enemiga
su corbata carmesí,
pero eran cuatro puñales
y tuvo que sucumbir.
Cuando las estrellas clavan
rejones al agua gris,
cuando los erales sueñan
verónicas de alhelí,
voces de muerte sonaron
cerca del Guadalquivir.

*

—Antonio Torres Heredia,
Camborio de dura crin,
moreno de verde luna,
voz de clavel varonil:
¿Quién te ha quitado la vida
cerca del Guadalquivir?
—Mis cuatro primos Heredias
hijos de Benamejí.
Lo que en otros no envidiaban,
ya lo envidiaban en mí.
Zapatos color corinto,
medallones de marfil,
y este cutis amasado
con aceituna y jazmín.
—¡Ay Antonio el Camborio
digno de una Emperatriz!
Acuérdate de la Virgen
porque te vas a morir.
—¡Ay Federico García,
llama a la Guardia Civil!
Ya mi talle se ha quebrado
como caña de maíz.

*

Tres golpes de sangre tuvo,
y se murió de perfil.
Viva moneda que nunca
se volverá a repetir.
Un ángel marchoso pone
su cabeza en un cojín.
Otros de rubor cansado,
encendieron un candil.
Y cuando los cuatro primos
llegan a Benamejí,
voces de muerte cesaron
cerca del Guadalquivir.

13

MUERTO DE AMOR

A Margarita Manso

—¿Qué es aquello que reluce
por los altos corredores?
—Cierra la puerta, hijo mío,
acaban de dar las once.
—En mis ojos, sin querer,
relumbran cuatro faroles.
—Será que la gente aquella
estará fregando el cobre.

*

Ajo de agónica plata
la luna menguante, pone
cabelleras amarillas
a las amarillas torres.
La noche llama temblando
al cristal de los balcones
perseguida por los mil
perros que no la conocen,

y un olor de vino y ámbar
viene de los corredores.

*

    Brisas de caña mojada
y rumor de viejas voces
resonaban por el arco
roto de la media noche.
Bueyes y rosas dormían.
Sólo por los corredores
las cuatro luces clamaban
con el furor de San Jorge.
Tristes mujeres del valle
bajaban su sangre de hombre,
tranquila de flor cortada
y amarga de muslo joven.
Viejas mujeres del río
lloraban al pie del monte,
un minuto intransitable
de cabelleras y nombres.
Fachadas de cal ponían
cuadrada y blanca la noche.
Serafines y gitanos
tocaban acordeones.
—Madre, cuando yo me muera
que se enteren los señores.
Pon telegramas azules
que vayan del Sur al Norte.
    Siete gritos, siete sangres,
siete adormideras dobles
quebraron opacas lunas
en los oscuros salones.
Lleno de manos cortadas
y coronitas de flores,

81

el mar de los juramentos
resonaba, no sé dónde.
Y el cielo daba portazos
al brusco rumor del bosque,
mientras clamaban las luces
en los altos corredores.

14

EL EMPLAZADO

Para Emilio Aladrén

¡Mi soledad sin descanso!
Ojos chicos de mi cuerpo
y grandes de mi caballo,
no se cierran por la noche
ni miran al otro lado
donde se aleja tranquilo
un sueño de trece barcos.
Sino que limpios y duros
escuderos desvelados,
mis ojos miran un norte
de metales y peñascos
donde mi cuerpo sin venas
consulta naipes helados.

*

Los densos bueyes del agua
embisten a los muchachos

que se bañan en las lunas
de sus cuernos ondulados.
Y los martillos cantaban
sobre los yunques sonámbulos
el insomnio del jinete
y el insomnio del caballo.

*

El veinticinco de junio
le dijeron a el Amargo:
—Ya puedes cortar, si gustas,
las adelfas de tu patio.
Pinta una cruz en la puerta
y pon tu nombre debajo,
porque cicutas y ortigas
nacerán en tu costado,
y agujas de cal mojada
te morderán los zapatos.
Será de noche, en lo oscuro,
por los montes imantados
donde los bueyes del agua
beben los juncos soñando.
Pide luces y campanas.
Aprende a cruzar las manos,
y gusta los aires fríos
de metales y peñascos.
Porque dentro de dos meses
yacerás amortajado.

*

Espadón de nebulosa
mueve en el aire Santiago.
Grave silencio, de espalda,
manaba el cielo combado.

*

El veinticinco de junio
abrió sus ojos Amargo,
y el veinticinco de agosto
se tendió para cerrarlos.
Hombres bajaban la calle
para ver al emplazado,
que fijaba sobre el muro
su soledad con descanso.
Y la sábana impecable,
de duro acento romano,
daba equilibrio a la muerte
con las rectas de sus paños.

15

ROMANCE DE LA GUARDIA CIVIL ESPAÑOLA

A Juan Guerrero.
Cónsul general de la poesía

Los caballos negros son.
Las herraduras son negras.
Sobre las capas relucen
manchas de tinta y de cera.
Tienen, por eso no lloran,
de plomo las calaveras.
Con el alma de charol
vienen por la carretera.
Jorobados y nocturnos,
por donde animan ordenan
silencios de goma oscura
y miedos de fina arena.
Pasan, si quieren pasar,
y ocultan en la cabeza
una vaga astronomía
de pistolas inconcretas.

*

¡Oh ciudad de los gitanos!
En las esquinas banderas.
La luna y la calabaza
con las guindas en conserva.
¡Oh ciudad de los gitanos!
¿Quién te vio y no te recuerda?
Ciudad de dolor y almizcle,
con las torres de canela.

*

Cuando llegaba la noche,
noche que noche nochera,
los gitanos en sus fraguas
forjaban soles y flechas.
Un caballo malherido
llamaba a todas las puertas.
Gallos de vidrio cantaban
por Jerez de la Frontera.
El viento vuelve desnudo
la esquina de la sorpresa,
en la noche platinoche,
noche que noche nochera.

*

La Virgen y San José
perdieron sus castañuelas,
y buscan a los gitanos
para ver si las encuentran.
La Virgen viene vestida
con un traje de alcaldesa
de papel de chocolate
con los collares de almendras.
San José mueve los brazos
bajo una capa de seda.

Detrás va Pedro Domecq
con tres sultanes de Persia.
La media luna soñaba
un éxtasis de cigüeña.
Estandartes y faroles
invaden las azoteas.
Por los espejos sollozan
bailarinas sin caderas.
Agua y sombra, sombra y agua
por Jerez de la Frontera.

*

¡Oh ciudad de los gitanos!
En las esquinas banderas.
Apaga tus verdes luces
que viene la benemérita.
¡Oh ciudad de los gitanos!
¿Quién te vio y no te recuerda?
Dejadla lejos del mar
sin peines para sus crenchas.

*

Avanzan de dos en fondo
a la ciudad de la fiesta.
Un rumor de siemprevivas,
invade las cartucheras.
Avanzan de dos en fondo.
Doble nocturno de tela.
El cielo, se les antoja,
una vitrina de espuelas.

*

La ciudad libre de miedo,
multiplicaba sus puertas.
Cuarenta guardias civiles
entran a saco por ellas.
Los relojes se pararon,
y el coñac de las botellas
se disfrazó de noviembre
para no infundir sospechas.
Un vuelo de gritos largos
se levantó en las veletas.
Los sables cortan las brisas
que los cascos atropellan.
Por las calles de penumbra
huyen las gitanas viejas
con los caballos dormidos
y las orzas de monedas.
Por las calles empinadas
suben las capas siniestras,
dejando detrás fugaces
remolinos de tijeras.

En el Portal de Belén
los gitanos se congregan.
San José, lleno de heridas,
amortaja a una doncella.
Tercos fusiles agudos
por toda la noche suenan.
La Virgen cura a los niños
con salivilla de estrella.
Pero la Guardia Civil
avanza sembrando hogueras,
donde joven y desnuda
la imaginación se quema.
Rosa la de los Camborios,
gime sentada en su puerta
con sus dos pechos cortados

puestos en una bandeja.
Y otras muchachas corrían
perseguidas por sus trenzas,
en un aire donde estallan
rosas de pólvora negra.
Cuando todos los tejados
eran surcos en la tierra,
el alba meció sus hombros
en largo perfil de piedra.

*

¡Oh ciudad de los gitanos!
La Guardia Civil se aleja
por un túnel de silencio
mientras las llamas te cercan.

¡Oh ciudad de los gitanos!
¿Quién te vio y no te recuerda?
Que te busquen en mi frente.
Juego de luna y arena.

TRES ROMANCES HISTORICOS

16

MARTIRIO DE SANTA OLALLA

A Rafael Martínez Nadal

I

PANORAMA DE MÉRIDA

Por la calle brinca y corre
caballo de larga cola,
mientras juegan o dormitan
viejos soldados de Roma.
Medio monte de Minervas
abre sus brazos sin hojas.
Agua en vilo redoraba
las aristas de las rocas.
Noche de torsos yacentes
y estrellas de nariz rota,
aguarda grietas del alba
para derrumbarse toda.
De cuando en cuando sonaban
blasfemias de cresta roja.

Al gemir la santa niña,
quiebra el cristal de las copas.
La rueda afila cuchillos
y garfios de aguda comba:
brama el toro de los yunques,
y Mérida se corona
de nardos casi despiertos
y tallos de zarzamora.

II

EL MARTIRIO

Flora desnuda se sube
por escalerillas de agua.
El Cónsul pide bandeja
para los senos de Olalla.
Un chorro de venas verdes
le brota de la garganta.
Su sexo tiembla enredado
como un pájaro en las zarzas.
Por el suelo, ya sin norma,
brincan sus manos cortadas
que aún pueden cruzarse en tenue
oración decapitada.
Por los rojos agujeros
donde sus pechos estaban
se ven cielos diminutos
y arroyos de leche blanca.
Mil arbolillos de sangre
le cubren toda la espalda
y oponen húmedos troncos
al bisturí de las llamas.

Centuriones amarillos,
de carne gris, desvelada,
llegan al cielo sonando
sus armaduras de plata.
Y mientras vibra confusa
pasión de crines y espadas,
el Cónsul porta en bandeja
senos ahumados de Olalla.

III

INFIERNO Y GLORIA

Nieve ondulada reposa.
Olalla pende del árbol.
Su desnudo de carbón
tizna los aires helados.
Noche tirante reluce.
Olalla muerta en el árbol.
Tinteros de las ciudades
vuelcan la tinta despacio.
Negros maniquís de sastre
cubren la nieve del campo
en largas filas que gimen
su silencio mutilado.
Nieve partida comienza.
Olalla blanca en el árbol.
Escuadras de níquel juntan
los picos en su costado.

*

Una Custodia reluce
sobre los cielos quemados,
entre gargantas de arroyo
y ruiseñores en ramos.
¡Saltan vidrios de colores!
Olalla blanca en lo blanco.
Angeles y serafines
dicen: Santo, Santo, Santo.

17

BURLA DE DON PEDRO A CABALLO
ROMANCE CON LAGUNAS

A Jean Cassou

Por una vereda
venía Don Pedro.
¡Ay cómo lloraba
el caballero!
Montado en un ágil
caballo sin freno,
venía en la busca
del pan y del beso.
Todas las ventanas
preguntan al viento
por el llanto oscuro
del caballero.

PRIMERA LAGUNA

Bajo el agua
siguen las palabras.

Sobre el agua
una luna redonda
se baña,
dando envidia a la otra
¡tan alta!
En la orilla,
un niño,
ve las lunas y dice:
¡Noche; toca los platillos!

SIGUE

A una ciudad lejana
ha llegado Don Pedro.
Una ciudad lejana
entre un bosque de cedros.
¿Es Belén? Por el aire
yerbaluisa y romero.
Brillan las azoteas
y las nubes. Don Pedro
pasa por arcos rotos.
Dos mujeres y un viejo
con velones de plata
le salen al encuentro.
Los chopos dicen: No.
Y el ruiseñor: Veremos.

SEGUNDA LAGUNA

Bajo el agua
siguen las palabras.
Sobre el peinado del agua
un círculo de pájaros y llamas.

Y por los cañaverales,
testigos que conocen lo que falta.
Sueño concreto y sin norte
de madera de guitarra.

SIGUE

Por el camino llano
dos mujeres y un viejo
con velones de plata
van al cementerio.
Entre los azafranes
han encontrado muerto
el sombrío caballo
de Don Pedro.
Voz secreta de tarde
balaba por el cielo.
Unicornio de ausencia
rompe en cristal su cuerno.
La gran ciudad lejana
está ardiendo
y un hombre va llorando
tierras adentro.
Al Norte hay una estrella.
Al Sur un marinero.

ÚLTIMA LAGUNA

Bajo el agua
están las palabras.
Limo de voces perdidas.
Sobre la flor enfriada,
está Don Pedro olvidado
¡ay! jugando con las ranas.

18

THAMAR Y AMNÓN

Para Alfonso García Valdecasas

La luna gira en el cielo
sobre las tierras sin agua
mientras el verano siembra
rumores de tigre y llama.
Por encima de los techos
nervios de metal sonaban.
Aire rizado venía
con los balidos de lana.
La tierra se ofrece llena
de heridas cicatrizadas,
o estremecida de agudos
cauterios de luces blancas.

*

Thamar estaba soñando
pájaros en su garganta,
al son de panderos fríos
y cítaras enlunadas.
Su desnudo en el alero,

agudo norte de palma,
pide copos a su vientre
y granizo a sus espaldas.
Thamar estaba cantando
desnuda por la terraza.
Alrededor de sus pies,
cinco palomas heladas.
Amnón delgado y concreto,
en la torre la miraba,
llenas las ingles de espuma
y oscilaciones la barba.
Su desnudo iluminado
se tendía en la terraza,
con un rumor entre dientes
de flecha recién clavada.
Amnón estaba mirando
la luna redonda y baja,
y vio en la luna los pechos
durísimos de su hermana.

*

Amnón a las tres y media
se tendió sobre la cama.
Toda la alcoba sufría
con sus ojos llenos de alas.
La luz maciza, sepulta
pueblos en la arena parda,
o descubre transitorio
coral de rosas y dalias.
Linfa de pozo oprimida
brota silencio en las jarras.
En el musgo de los troncos
la cobra tendida canta.
Amnón gime por la tela
fresquísima de la cama.

Yedra del escalofrío
cubre su carne quemada.
Thamar entró silenciosa
en la alcoba silenciada,
color de vena y Danubio,
turbia de huellas lejanas.
—Thamar, bórrame los ojos
con tu fija madrugada.
Mis hilos de sangre tejen
volantes sobre tu falda.
—Déjame tranquila, hermano.
Son tus besos en mi espalda
avispas y vientecillos
en doble enjambre de flautas.
—Thamar, en tus pechos altos
hay dos peces que me llaman
y en las yemas de tus dedos
rumor de rosa encerrada.

*

Los cien caballos del rey
en el patio relinchaban.
Sol en cubos resistía
la delgadez de la parra.
Ya la coge del cabello,
ya la camisa le rasga.
Corales tibios dibujan
arroyos en rubio mapa.

*

¡Oh, qué gritos se sentían
por encima de las casas!
Qué espesura de puñales
y túnicas desgarradas.

Por las escaleras tristes
esclavos suben y bajan.
Embolos y muslos juegan
bajo las nubes paradas.
Alrededor de Thamar
gritan vírgenes gitanas
y otras recogen las gotas
de su flor martirizada.
Paños blancos, enrojecen
en las alcobas cerradas.
Rumores de tibia aurora
pámpanos y peces cambian.

*

Violador enfurecido,
Amnón huye con su jaca.
Negros le dirigen flechas
en los muros y atalayas.
Y cuando los cuatro cascos
eran cuatro resonancias,
David con unas tijeras
cortó las cuerdas del arpa.

Tema de la voz mudable.

Cuando se abre en la mañana
roja como sangre está.
El rocío no la toca
porque se teme quemar.

Abierta en el mediodía
es dura como el coral.
El sol se acerca a los vidrios
para verla relumbrar.

Cuando en las ramas empiezan
los pájaros a cantar
y se desmaya la tarde
en las violetas del mar,
se pone blanca, con blanco
de una mejilla de sal;
y cuando la noche toca
blando cuerno de metal
y las estrellas avanzan
mientras los aires se van,
en la raya de lo oscuro
se comienza a deshojar.

Federico García Lorca

II

ROMANCES DEL TEATRO
1924-1935

[ROMANCE DE LA CORRIDA DE TOROS
EN RONDA]

Amparo

En la corrida más grande
que se vio en Ronda la vieja.
Cinco toros de azabache
con divisa verde y negra.
Yo pensaba siempre en ti;
yo pensaba: Si estuviera
conmigo mi triste amiga,
¡mi Marianita Pineda!
Las niñas venían gritando
sobre pintadas calesas,
con abanicos redondos
bordados de lentejuelas.
Y los jóvenes de Ronda
sobre jacas pintureras,
los anchos sombreros grises
calados hasta las cejas.
La plaza con el gentío
(calañés y altas peinetas)

giraba como un zodiaco
de risas blancas y negras.
Y cuando el gran Cayetano
cruzó la pajiza arena
con traje color manzana,
bordado de plata y seda,
destacándose gallardo
entre la gente de brega
frente a los toros zaínos
que España cría en su tierra,
parecía que la tarde
se ponía más morena.
¡Si hubieran visto con qué
gracia movía las piernas!
¡Qué gran equilibrio el suyo
con la capa y la muleta!
¡Mejor, ni Pedro Romero
toreando las estrellas!
Cinco toros mató, cinco,
con divisa verde y negra.
En la punta de su espada
cinco flores dejó abiertas,
y a cada instante rozaba
los hocicos de las fieras,
como una gran mariposa
de oro con alas bermejas.
La plaza, al par que la tarde,
vibraba fuerte, violenta,
y entre el olor de la sangre
iba el olor de la sierra.

Mariana Pineda

ROMANCILLO DEL BORDADO

Bendita sea por siempre
la Santísima Trinidad,
y guarde al hombre en la sierra
y al marinero en el mar.
A la verde, verde orilla
del olivarito está
una niña bordando.
¡Madre! ¿Qué bordará?
Las agujas de plata,
bastidor de cristal,
bordaba una bandera,
cantar que te cantar.
Por el olivo, olivo,
¡madre, quién lo dirá!,
venía un andaluz
mocito y galán.
«Niña, la bordadora,
mi vida, ¡no bordad!,

que el duque de Lucena
duerme y dormirá.»
«No dices la verdad:
el duque de Lucena
me ha mandado bordar
esta roja bandera
porque a la guerra va.»
«Por las calles de Córdoba
lo llevan a enterrar
muy vestido de fraile
en caja de coral.
La albahaca y los claveles
sobre la caja van,
y un verderol antiguo,
cantando el pío pa.»
«¡Ay, duque de Lucena,
ya no te veré más!
La bandera que bordo
de nada servirá.
En el olivarito
me quedaré a mirar
cómo el aire menea
las hojas al pasar.»
«Adiós, niña bonita,
espigada y juncal,
me voy para Sevilla,
donde soy capitán.»
Y a la verde, verde orilla
del olivarito está
una niña morena,
llorar que te llorar.

Mariana Pineda

[ROMANCE DE LA MUERTE DE TORRIJOS]

Torrijos, el general
noble, de la frente limpia,
donde se estaban mirando
las gentes de Andalucía,
caballero entre los duques,
corazón de plata fina,
ha sido muerto en las playas
de Málaga la bravía.
Le atrajeron con engaños
que él creyó, por su desdicha,
y se acercó, satisfecho
con sus buques, a la orilla.
¡Malhaya el corazón noble
que de los malos se fía!,
que al poner el pie en la arena
le prendieron los realistas.
El vizconde de La Barthe,
que mandaba las milicias,

debió cortarse la mano
antes de tal villanía,
como es quitar a Torrijos
bella espada que ceñía,
con el puño de cristal,
adornado con dos cintas.
Muy de noche lo mataron
con toda su compañía.
Caballero entre los duques,
corazón de plata fina.
Grandes nubes se levantan
sobre la sierra de Mijas.
El viento mueve la mar
y los buques se retiran
con los remos presurosos
y las velas extendidas.
Entre el ruido de las olas
sonó la fusilería,
y muerto quedó en la arena,
sangrando por tres heridas,
el valiente caballero
con toda su compañía.
La muerte, con ser la muerte,
no deshojó su sonrisa.
Sobre los barcos lloraba
toda la marinería,
y las más bellas mujeres,
enlutadas y afligidas,
lo van llorando también
por el limonar arriba.

Mariana Pineda

[SERENATA DE BELISA]

Por las orillas del río
se está la noche mojando
y en los pechos de Belisa
se mueren de amor los ramos.

¡Se mueren de amor los ramos!

La noche canta desnuda
sobre los puentes de Marzo.
Belisa lava su cuerpo
con agua salobre y nardos.

¡Se mueren de amor los ramos!

La noche de anís y plata
relumbra por los tejados.

Plata de arroyos y espejos
y anís de sus muslos blancos.

¡Se mueren de amor los ramos!

*Amor de Don Perlimplín con Belisa
en su jardín*

5

[ROMANCE DE LA TALABARTERA]

En un cortijo de Córdoba,
entre jarales y adelfas,
vivía un talabartero
con una talabartera.
Ella era mujer arisca;
él, hombre de gran paciencia;
ella giraba en los veinte
y él pasaba de cincuenta.
¡Santo Dios, cómo reñían!
Miren ustedes la fiera,
burlando al débil marido
con los ojos y la lengua.

*

Cabellos de emperadora
tiene la talabartera,
y una carne como el agua
cristalina de Lucena.

Cuando movía las faldas
en tiempos de Primavera
olía toda su ropa
a limón y a yerbabuena.
¡Ay, qué limón, limón
de la limonera!
¡Qué apetitosa
talabartera!

Ved cómo la cortejaban
mocitos de gran presencia
en caballos relucientes
llenos de borlas de seda.
Gente cabal y garbosa,
que pasaba por la puerta
haciendo brillar adrede
las onzas de sus cadenas.
La conversación a todos
daba la talabartera
y ellos caracoleaban
sus jacas sobre las piedras.
Miradla hablando con uno,
bien peinada y bien compuesta,
mientras el pobre marido
clava en el cuero la lezna.
¡Esposo viejo y decente,
casado con joven tierna,
qué tunante caballista
roba tu amor en la puerta!

*

Un lunes por la mañana,
a eso de las once y media,
cuando el sol deja sin sombra
los juncos y madreselvas,

cuando alegremente bailan
brisa y tomillo en la sierra
y van cayendo las verdes
hojas de las madroñeras,
regaba sus alhelíes
la arisca talabartera.
Llegó su amigo trotando
una jaca cordobesa
y le dijo entre suspiros:
«Niña, si tú lo quisieras,
cenaríamos mañana
los dos solos en tu mesa.»
«¿Y qué harás de mi marido?»
«Tu marido no se entera.»
«¿Qué piensas hacer?» «¡Matarlo!»
«Es ágil; quizás no puedas.
¿Tienes revólver?» «¡Mejor!
¡Tengo navaja barbera…!»
«¿Corta mucho?» «Más que el frío…
Y no tiene ni una mella.»
«¿No has mentido?» «Le daré
diez puñaladas certeras
en esta disposición,
que me parece estupenda:
cuatro en la región lumbar,
una en la tetilla izquierda,
otra en semejante sitio
y dos en cada cadera.»
«¿Lo matarás en seguida?»
«Esta noche, cuando vuelva
con el cuero y con las crines
por la curva de la acequia…»

La zapatera prodigiosa

117

[ROMANCE DEL ARLEQUÍN]

El Sueño va sobre el Tiempo
flotando como un velero.
Nadie puede abrir semillas
en el corazón del Sueño.

¡Ay cómo canta el alba! ¡Cómo canta!
¡Qué témpanos de hielo azul levanta!

El Tiempo va sobre el Sueño
hundido hasta los cabellos.
Ayer y mañana comen
oscuras flores de duelo.

¡Ay cómo canta la noche! ¡Cómo canta!
¡Qué espesura de anémonas levanta!

Sobre la misma columna
abrazados Sueño y Tiempo,
cruza el gemido del niño,
la lengua rota del viejo.

¡Ay cómo canta el alba! ¡Cómo canta!
¡Qué espesura de anémonas levanta!

Y si el Sueño finge muros
en la llanura del Tiempo
el Tiempo le hace creer
que nace en aquel momento.

¡Ay cómo canta la noche! ¡Cómo canta!
¡Qué témpanos de hielo azul levanta!

Así que pasen cinco años

[NANA DEL CABALLO]

Nana, niño, nana
del caballo grande
que no quiso el agua.
El agua era negra
dentro de las ramas.
Cuando llega al puente
se detiene y canta.
¿Quién dirá, mi niño,
lo que tiene el agua,
con su larga cola
por su verde sala?

Duérmete, clavel,
que el caballo no quiere beber.
Duérmete, rosal,
que el caballo se pone a llorar.

Las patas heridas,
las crines heladas,

dentro de los ojos
un puñal de plata.
Bajaban al río.
¡Ay, cómo bajaban!
La sangre corría
más fuerte que el agua.

Duérmete, clavel,
que el caballo no quiere beber.
Duérmete, rosal,
que el caballo se pone a llorar.

No quiso tocar
la orilla mojada,
su belfo caliente
con moscas de plata.
A los montes duros
sólo relinchaba
con el río muerto
sobre la garganta.
¡Ay caballo grande
que no quiso el agua!
¡Ay dolor de nieve,
caballo del alba!

¡No vengas! Detente
cierra la ventana
con rama de sueños
y sueños de ramas.
Mi niño se duerme.
Mi niño se calla.
Caballo, mi niño
tiene una almohada.
Su cuna de acero.
Su colcha de holanda.
Nana, niño, nana.

¡Ay caballo grande
que no quiso el agua!
¡No vengas, no entres!
Vete a la montaña.
Por los valles grises
donde está la jaca.
Mi niño se duerme.
Mi niño descansa.

   Duérmete, clavel,
que el caballo no quiere beber.
Duérmete, rosal,
que el caballo se pone a llorar.

Bodas de sangre

[ROMANCILLO EN EL QUE DOS MUCHACHAS DEVANAN UNA MADEJA ROJA]

Madeja, madeja,
¿qué quieres hacer?

Jazmín de vestido,
cristal de papel.
Nacer a las cuatro,
morir a las diez.
Ser hilo de lana,
cadena a tus pies
y nudo que apriete
amargo laurel.

Madeja, madeja,
¿qué quieres cantar?

Heridas de cera,
dolor de arrayán.
Dormir la mañana,
de noche velar.

El hilo tropieza
con el pedernal.
Los montes azules
lo dejan pasar.
Corre, corre, corre,
y al fin llegará
a poner cuchillo
y a quitar el pan.

Madeja, madeja,
¿qué quieres decir?

Amante sin habla.
Novio carmesí.
Por la orilla muda
tendidos los vi.
Corre, corre, corre
el hilo hasta aquí.
Cubiertos de barro
los siento venir.
¡Cuerpos estirados,
paños de marfil!

Bodas de sangre

9

[DANZA DE LA ESPOSA TRISTE]

([...] Hay en la escena como un crescendo de voces con ruidos de cascabeles y colleras de campanillas [...] Crece el ruido y entran dos máscaras populares, una como macho y otra como hembra. Llevan grandes caretas. El Macho empuña un cuerno de toro en la mano. No son grotescas de ningún modo, sino de gran belleza y con un sentido de pura tierra. La Hembra agita un collar de grandes cascabeles. El fondo se llena de gente que grita y comenta la danza. Está muy anochecido.)

Hembra

En el río de la sierra
la esposa triste se bañaba.
Por el cuerpo le subían
los caracoles del agua.

La arena de las orillas
y el aire de la mañana
le daban fuego a su risa
y temblor a sus espaldas.
¡Ay qué desnuda estaba
la doncella en el agua!

NIÑO
¡Ay cómo se quejaba!

HOMBRE 1.º
¡Ay marchita de amores!
¡Con el viento y el agua!

HOMBRE 2.º
Que diga a quién espera.

HOMBRE 1.º
¡Que diga a quién aguarda!

HOMBRE 2.º
¡Ay con el vientre seco!
Y la color quebrada.

HEMBRA
Cuando llegue la noche lo diré,
cuando llegue la noche clara.
Cuando llegue la noche de la romería,
rasgaré los volantes de mi enagua.

NIÑO
Y en seguida vino la noche.
¡Ay, que la noche llegaba!
Mirad qué oscuro se pone
el chorro de la montaña.

(Empiezan a sonar unas guitarras.)

MACHO *(Se levanta y agita el cuerno.)*

¡Ay qué blanca
la triste casada!
¡Ay, cómo se queja entre las ramas!
Amapola y clavel serás luego
cuando el macho despliegue su capa.

(Se acerca.)

Si tú vienes a la romería,
a pedir que tu vientre se abra,
no te pongas un velo de luto,
sino dulce camisa de holanda.
Vete sola detrás de los muros
donde están las higueras cerradas
y soporta mi cuerpo de tierra
hasta el blanco gemido del alba.
¡Ay, cómo relumbra!
¡Ay, cómo relumbraba!
¡Ay„ cómo se cimbrea la casada!

HEMBRA

Ay, que el amor le pone
coronas y guirnaldas
y dardos de oro vivo
en su pecho se clavan.

MACHO

Siete veces gemía,
nueve se levantaba,
quince veces juntaron
jazmines con naranjas.

HOMBRE 1.º

¡Dale ya con el cuerno!

HOMBRE 2.º

Con la rosa y la danza.

127

Hombre 1.º
¡Ay, cómo se cimbrea la casada!

Macho
En esta romería
el varón siempre manda.
Los maridos son toros,
el varón siempre manda,
y las romeras, flores
para aquel que las gana.

Niño
Dale ya con el aire.

Hombre 2.º
Dale ya con la rama.

Macho
Venid a ver la lumbre
de la que se bañaba.

Hombre 1.º
Como junco se curva.

Niño
Y como flor se cansa.

Hombre 1.º
¡Que se aparten las niñas!

Macho
¡Que se queme la danza!
Y el cuerpo reluciente
de la limpia casada.

Yerma

10

TEMA DE LA ROSA MUDABLE

Cuando se abre en la mañana
roja como sangre está.
El rocío no la toca
porque se teme quemar.

Abierta en el mediodía
es dura como el coral;
el sol se acerca a los vidrios
para verla relumbrar.

Cuando en las ramas empiezan
los pájaros a cantar
y se desmaya la tarde
en las violetas del mar,
se pone blanca con blanco
de una mejilla de sal;
y cuando la noche toca
blando cuerno de metal

y las estrellas avanzan
mientras los aires se van,
en la raya de lo oscuro
se comienza a deshojar.

*Doña Rosita la soltera, o el lenguaje
de las flores*

11

[ROMANCE DE LAS TRES MANOLAS]

Granada, calle de Elvira,
donde viven las manolas,
las que se van a la Alhambra,
las tres y las cuatro solas.
Una vestida de verde,
otra de malva, y la otra,
un corselete escocés
con cintas hasta la cola.
Las que van delante, garzas,
la que va detrás, paloma,
abren por las alamedas
muselinas misteriosas.
¡Ay, qué oscura está la Alhambra!
¿Adónde irán las manolas
mientras sufren en la umbría
el surtidor y la rosa?
¿Qué galanes las esperan?
¿Bajo qué mirto reposan?

¿Qué manos roban perfumes
a sus dos flores redondas?
Nadie va con ellas, nadie;
dos garzas y una paloma.
Pero en el mundo hay galanes
que se tapan con las hojas.
La catedral ha dejado
bronces que la brisa toma.
El Genil duerme a sus bueyes
y el Dauro a sus mariposas.
La noche viene cargada
con sus colinas de sombra.
Una enseña los zapatos
entre volantes de blonda;
la mayor abre sus ojos
y la menor los entorna.
¿Quién serán aquellas tres
de alto pecho y larga cola?
¿Por qué agitan los pañuelos?
¿Adónde irán a estas horas?
Granada, calle de Elvira,
donde viven las manolas,
las que se van a la Alhambra,
las tres y las cuatro solas.

*Doña Rosita la soltera, o el lenguaje
de las flores*

LO QUE DICEN LAS FLORES

Madre, llévame a los campos
con la luz de la mañana
a ver abrirse las flores
cuando se mecen las ramas.
Mil flores dicen mil cosas,
para mil enamoradas,
y la fuente está contando
lo que el ruiseñor se calla.

Abierta estaba la rosa
con la luz de la mañana;
tan roja de sangre tierna,
que el rocío se alejaba;
tan caliente sobre el tallo,
que la brisa se quemaba;
¡tan alta! ¡cómo reluce!
¡Abierta estaba!

«Sólo en ti pongo mis ojos»
—el heliotropo expresaba—.
«Yo te querré mientras viva»,
dice la flor de la albahaca.
«Soy tímida», la violeta.
«Soy fría», la rosa blanca.
Dice el jazmín: «Seré fiel»,
y el clavel: «¡Apasionada!»

El jacinto es la amargura;
el dolor, la pasionaria.
El jaramago, el desprecio,
y los lirios, la esperanza.

Dice el nardo: «Soy tu amigo»;
«Creo en ti», la pasionaria.
La madreselva te mece,
la siempreviva te mata.

Siempreviva de la muerte,
flor de las manos cruzadas;
¡qué bien estás cuando el aire
llora sobre tu guirnalda!

Abierta estaba la rosa,
pero la tarde llegaba,
y un rumor de nieve triste
le fue pasando las ramas;
cuando la sombra volvía,
cuando el ruiseñor cantaba,
como una muerte de pena
se puso transida y blanca;
y cuando la noche, grande
cuerno de metal sonaba
y los vientos enlazados
dormían en la montaña,

se deshojó suspirando
por los cristales del alba.
Sobre tu largo cabello
gimen las flores cortadas.
Unas llevan puñalitos,
otras fuego y otras agua.

Las flores tienen su lengua
para las enamoradas.
Son celos el carambuco,
desdén esquivo la dalia,
suspiros de amor el nardo,
risa la gala de Francia.
Las amarillas son odio;
el furor, las encarnadas;
las blancas son casamiento
y las azules, mortaja.

Madre, llévame a los campos
con la luz de la mañana,
a ver abrirse las flores
cuando se mecen las ramas.

*Doña Rosita la soltera, o el lenguaje
de las flores*

APENDICES

I

[CONFERENCIA-RECITAL
DEL *ROMANCERO GITANO*]

No es un poeta que se ha hecho notar más o menos, o un dramaturgo incipiente, ansioso de gran teatro, el que está ante vosotros, sino un verdadero amigo, un camarada que recuerda todavía cercanos los años que vivía a golpes con la enorme cara bigotuda del Derecho Mercantil y llevando una vida de broma y jaleo para ocultar una verdadera y bienhechora melancolía.

Yo sé muy bien que eso que se llama conferencia sirve en las salas y teatros para llevar a los ojos de las personas esas puntas de alfiler donde se clavan las irresistibles anémonas de Morfeo y esos bostezos para los cuales se necesitaría tener boca de caimán.

Yo he observado que generalmente el conferenciante pone cátedra sin pretender acercarse a su auditorio, habla lo que sabe sin gastar nervio y con una ausencia absoluta de voluntad de amor, que origina ese odio profundo que se le toma momentáneamente y hace deseemos con ansia que resbale al salir de la tribuna o que estornude de modo tan furioso que se le caigan las gafas sobre el vaso.

Por eso, no vengo a dar una conferencia sobre temas que he estudiado y preparado, sino que vengo a comunicarme con vosotros con lo que nadie me ha enseñado, con lo que es sustancia y magia pura, con la poesía.

He elegido para leer con pequeños comentarios el *Romancero gitano,* no sólo por ser mi obra más popular, sino porque indudablemente es la que hasta ahora tiene más unidad, y es donde mi rostro poético aparece por vez primera con personalidad propia, virgen de contacto con otro poeta y definitivamente dibujado.

No voy a hacer crítica del libro, ni voy a decir, ni estudiar, lo que significa como forma de romance, ni a mostrar la mecánica de sus imágenes, ni el gráfico de su desarrollo rítmico y fonético, sino que voy a mostrar sus fuentes y los primeros atisbos de su concepción total.

El libro en conjunto, aunque se llame gitano, es el poema de Andalucía, y lo llamo gitano porque el gitano es lo más elevado, lo más profundo, más aristocrático de mi país, lo más representativo de su modo y el que guarda el ascua, la sangre y el alfabeto de la verdad andaluza y universal.

Así pues, el libro es un retablo de Andalucía con gitanos, caballos, arcángeles, planetas, con su brisa judía, con su brisa romana, con ríos, con crímenes, con la nota vulgar del contrabandista y la nota celeste de los niños desnudos de Córdoba que burlan a San Rafael. Un libro donde apenas si está expresada la Andalucía que se ve, pero donde está temblando la que no se ve. Y ahora lo voy a decir. Un libro antipintoresco, antifolklórico, antiflamenco, donde no hay ni una chaquetilla corta, ni un traje de torero, ni un sombrero plano, ni una pandereta; donde las figuras sirven a fondos milenarios y donde no hay más que un solo personaje, grande y oscuro como un cielo de estío, un solo personaje que es la Pena, que se filtra en el tuétano de los huesos y en la savia de los árboles, y que no tiene nada que ver con la melancolía, ni con la nostalgia, ni con ninguna otra aflicción o dolencia del ánimo; que es un sentimiento más celeste que terrestre; pena andaluza que es una lucha de la inteligencia amorosa con el misterio que la rodea y no puede comprender.

Pero un hecho poético, como un hecho criminal o un hecho jurídico, son tales hechos cuando viven en el mundo y son llevados y traídos; en suma, intepretados. Por eso no me quejo de la falsa visión andaluza que se tiene de este poema o causa de recitadores, sensuales de bajo tono o criaturas ignorantes. Creo que la pureza de su construcción y el noble tono con que me esforcé al crearlo lo defenderán de sus actuales amantes excesivos, que a veces lo llenan de baba.

Desde el año 1919, época de mis primeros pasos poéticos, estaba yo preocupado con la forma del romance, porque me daba cuenta que era el vaso donde mejor se amoldaba mi sensibilidad. El romance había permanecido estacionario desde los últimos exquisitos romancillos de Góngora, hasta que el Duque de Rivas lo hizo dulce, fluido, doméstico, o Zorrilla lo llenó de nenúfares, sombras y campanas sumergidas.

El romance típico había sido siempre una narración, y era lo narrativo lo que daba encanto a su fisonomía, porque cuando se hacía lírico, sin eco de anécdota, se convertía en canción. Yo quise fundir el romance narrativo con el lírico sin que perdieran ninguna calidad, y este esfuerzo se ve conseguido en algunos poemas del *Romancero,* como el llamado «Romance sonámbulo», donde hay una gran sensación de anécdota, un agudo ambiente dramático, y nadie sabe lo que pasa, ni aun yo, porque el misterio poético es también misterio para el

pòeta que lo comunica, pero que muchas veces lo ig-
nora.

En realidad, la forma de mi romance la encontré
—mejor, me la comunicaron— en los albores de mis
primeros poemas, donde ya se notan los mismos ele-
.mentos y un mecanismo similar al del *Romancero gitano*.

Ya el año veinte escribía yo este crepúsculo:

> *El diamante de una estrella*
> *ha rayado el hondo cielo.*
> *Pájaro de luz que quiere*
> *escapar del firmamento*
> *y huye del enorme nido*
> *donde estaba prisionero.*
> *Sin saber que lleva atada*
> *una cadena en el cuello.*
>
> *Cazadores extrahumanos*
> *están cazando luceros,*
> *cisnes de plata maciza*
> *en el agua del silencio.*
>
> *Los chopos niños recitan*
> *la cartilla. Es el maestro*
> *un chopo antiguo que mueve*
> *tranquilos sus brazos viejos.*
> *¡Rana, empieza tu cantar!*
> *¡Grillo, sal de tu agujero!*
> *Haced un bosque sonoro*
> *con vuestras flautas. Yo vuelvo*
> *hacia mi casa intranquilo.*
> *Se agitan en mi recuerdo*
> *dos palomas campesinas*
> *y en el horizonte, lejos,*
> *se hunde el arcaduz del día.*
> *¡Terrible noria del tiempo!*

Esto, como forma, ya tiene el claroscuro del *Romancero* y el gusto de mezclar imágenes astronómicas con insectos y hechos vulgares, que son notas primarias de mi carácter poético.

Tengo cierto rubor de hablar de mí en público, pero lo hago porque os considero amigos, o ecuánimes oyentes, y porque sé que un poeta, cuando es poeta, es sencillo, y, cuando es sencillo, no puede caer jamás en el infierno cómico de la pedantería.

De un poema se puede estar hablando mucho tiempo, analizando y observando sus aspectos múltiples. Yo os voy a presentar un plano de este mío y voy a comenzar la lectura de sus composiciones.

*

Desde los primeros versos se nota que el mito está mezclado con el elemento que pudiéramos llamar realista, aunque no lo es, puesto que al contacto con el plano mágico se torna aún más misterioso e indescifrable, como el alma misma de Andalucía, lucha y drama del veneno de Oriente del andaluz con la geometría y el equilibrio que impone lo romano, lo bético.

El libro empieza con dos mitos inventados: la luna como bailarina mortal y el viento como sátiro. Mito de la luna sobre tierras de danza dramática, Andalucía interior concentrada y religiosa, y mito de playa tartesa, donde el aire es suave como pelusa de melocotón y donde todo drama o danza está sostenido por una aguja inteligente de burla o de ironía.

«Luna, luna»
«Preciosa y el aire»

En el romance «Reyerta de mozos» está expresada esa lucha sorda, latente en Andalucía y toda España, de

143

grupos que se atacan sin saber por qué, por causas misteriosas, por una mirada, por una rosa, porque un hombre de pronto siente un insecto sobre la mejilla, por un amor de hace dos siglos.

«Reyerta»

Después, aparece el «Romance sonámbulo», del que ya he hablado, uno de los más misteriosos del libro, interpretado por mucha gente como un romance que expresa el ansia de Granada por el mar, la angustia de una ciudad que no oye las olas y las busca en sus juegos de agua subterránea y en las nieblas onduladas con que cubre sus montes. Está bien. Es así, pero también es otra cosa. Es un hecho poético puro del fondo andaluz, y siempre tendrá luces cambiantes, aun para el hombre que lo ha comunicado, que soy yo. Si me preguntan ustedes por qué digo yo «Mil panderos de cristal herían la madrugada», les diré que los he visto en manos de ángeles y de árboles, pero no sabré decir más, ni mucho menos explicar su significado. Y está bien que sea así. El hombre se acerca por medio de la poesía con más rapidez al filo donde el filósofo y el matemático vuelven la espalda en silencio.

«Romance sonámbulo»

Después aparece en el libro el romance de «La casada infiel», gracioso de forma y de imagen, pero éste sí que es pura anécdota andaluza. Es popular hasta la desesperación y, como lo considero lo más primario, lo más halagador de sensualidades y lo menos andaluz, no lo leo.

*

En contraposición de la noche marchosa y ardiente de la casada infiel, noche de vega alta y junco en penumbra, aparece esta noche de Soledad Montoya, concreción de la Pena sin remedio, de la pena negra, de la cual no se puede salir más que abriendo con un cuchillo un ojal bien hondo en el costado siniestro.

La pena de Soledad Montoya es la raíz del pueblo andaluz. No es angustia, porque con pena se puede sonreír, ni es un dolor que ciega, puesto que jamás produce llanto; es un ansia sin objeto, es un amor agudo a nada, con una seguridad de que la muerte (preocupación perenne de Andalucía) está respirando detrás de la puerta. Este poema tiene un antecedente en la canción del jinete que voy a decir, en la que a mí me parece ver a aquel prodigioso andaluz Omar ben Hafsún desterrado para siempre de su patria.

CANCION DEL JINETE

[*Córdoba.*
Lejana y sola.

Jaca negra, luna grande,
y aceitunas en mi alforja.
Aunque sepa los caminos
yo nunca llegaré a Córdoba.

Por el llano, por el viento,
jaca negra, luna roja.
La muerte me está mirando
desde las torres de Córdoba.

¡Ay qué camino tan largo!
¡Ay mi jaca valerosa!
¡Ay que la muerte me espera
antes de llegar a Córdoba!

Córdoba.
Lejana y sola.]

«Romance de la pena negra»

En el poema irrumpen de pronto los arcángeles que expresan las tres grandes Andalucías: San Miguel, rey del aire que vuela sobre Granada, ciudad de torrentes y montañas; San Rafael, arcángel peregrino que vive en la *Biblia* y en el *Korán,* quizás más amigo de musulmanes que de cristianos, que pesca en el río de Córdoba; San Gabriel Arcángel anunciador, padre de la propaganda, que planta sus azucenas en la torre de Sevilla. Son las tres Andalucías que están expresadas en esta canción:

ARBOLE

[*Arbolé arbolé
seco y verdé.*

*La niña del bello rostro
está cogiendo aceituna.
El viento, galán de torres,
la prende por la cintura.
   Pasaron cuatro jinetes
sobre jacas andaluzas,
con trajes de azul y verde,
con largas capas oscuras.
   «Vente a Córdoba, muchacha.»
La niña no los escucha.
   Pasaron tres torerillos
delgaditos de cintura,
con trajes color naranja
y espadas de plata antigua.
   «Vente a Sevilla, muchacha.»
La niña no los escucha.*

Cuando la tarde se puso
morada, con luz difusa,
pasó un joven que llevaba
rosas y mirtos de luna.
    «Vente a Granada, muchacha.»
Y la niña no lo escucha.
    La niña del bello rostro
sigue cogiendo aceituna
con el brazo gris del viento
ceñido por la cintura.

    Arbolé arbolé
seco y verdé.]

Como no tengo tiempo de leer todo el libro, diré sólo
«San Gabriel».

«San Gabriel»

Ahora aparece en el retablo uno de sus héroes más
netos, Antoñito el Camborio, el único de todo el libro
que me llama por mi nombre en el momento de su
muerte. Gitano verdadero, incapaz del mal, como muchos que en estos momentos mueren de hambre por no
vender su voz milenaria a los señores que no poseen más
que dinero, que es tan poca cosa.

«Prendimiento»
«Muerte»

Pocas palabras voy a decir de esta fuerza andaluza,
centauro de muerte y de odio que es el Amargo.

Teniendo yo ocho años, y mientras jugaba en mi casa
de Fuente Vaqueros, se asomó a la ventana un muchacho que a mí me pareció un gigante, y que me miró con
un desprecio y un odio que nunca olvidaré, y escupió
dentro al retirarse. A lo lejos una voz lo llamó: «¡Amargo, ven!»

Desde entonces el Amargo fue creciendo en mí hasta que pude descifrar por qué me miró de aquella manera, ángel de la muerte y la desesperanza que guarda las puertas de Andalucía. Esta figura es una obsesión en mi obra poética. Ahora ya no sé si la vi o se me apareció, si me lo imaginé o ha estado a punto de ahogarme con sus manos.

La primera vez que sale el Amargo es en el *Poema del cante jondo,* que yo escribí en 1921.

«Diálogo del Amargo»

Después en el *Romancero,* y últimamente en el final de mi tragedia *Bodas de sangre,* se llora también, no sé por qué, a esta figura enigmática.

(Si hay tiempo, lee la escena)

Con un cuchillo,
[con un cuchillito,
en un día señalado, entre las dos y las tres,
se mataron los dos hombres del amor.
Con un cuchillo,
con un cuchillito
que apenas cabe en la mano,
pero que penetra fino
por las carnes asombradas,
y que se para en el sitio
donde tiembla enmarañada
la oscura raíz del grito.]

Pero ¿qué ruido de cascos y de correas se escucha por Jaén y por la sierra de Almería? Es que viene la Guardia Civil. Este es el tema fuerte del libro y el más difícil por increíblemente antipoético. Sin embargo, no lo es.

«Romance Guardia Civil»

Para completar, voy a leer un romance de la Andalucía romana (Mérida es andaluza, como por otra parte
lo es Tetuán), donde la forma, la imagen y el ritmo son
apretados y justos como piedras para el tema.

«Santa Olalla»

Y ahora, el tema bíblico. Los gitanos, y en general el
pueblo andaluz, cantan el Romance de Thamar y Amnón
llamando a Thamar «Altas Mares». De Thamar, «Tamare»; de «Tamare», «Altamare», y de «Altamare»,
«Altas Mares», que es mucho más bonito.

Este poema es gitano-judío, como era Joselito, «el
Gallo», y como son las gentes que pueblan los montes
de Granada y algún pueblo del interior cordobés.

Y de forma y de intención es mucho más fuerte que
los desplantes de «La casada infiel», pero tiene en cambio un acento poético más difícil, que lo pone a salvo
de ese terrible ojo que guiña ante los actos inocentes y
hermosos de la Naturaleza.

«Thamar y Amnón»

ITINERARIOS JOVENES DE ESPAÑA:
FEDERICO GARCIA LORCA

Hablo a Lorca por teléfono.
—*¿En qué año has nacido?*
—En 1899, 5 de junio *.
—*¿Dónde?*
—En Fuente Vaqueros, Granada.
—*¿Cómo se llaman tus padres?*
—Federico García Rodríguez y Vicenta Lorca.
—*¿De dónde son?*
—Andaluces, granadinos.
—*¿Qué has heredado, vitalmente, de tu padre?*
—La pasión.
—*¿Y de tu madre?*
—La inteligencia.
—*Dame más datos para tu solución de herencias.*
—Yo no soy gitano.
—*¿Qué eres?*

---

* La fecha real es 5 de junio de 1898.

—Andaluz, que no es igual, aun cuando todos los andaluces seamos algo gitanos. Mi gitanismo es un tema literario y un libro. Nada más.

—*Más datos.*

—Mi padre, agricultor, hombre rico, emprendedor, buen caballista. Mi madre, de fina familia. Mi familia hizo crac en el siglo pasado. Ahora resurge otra vez.

—*Gracias a ti.*

—Buenos, gracias a mí.

—*Dime tu infancia.*

—Mi padre se casó viudo con mi madre. Mi infancia es la obsesión de unos cubiertos de plata y de unos retratos de aquella otra «que pudo ser mi madre», Matilde de Palacios. Mi infancia es aprender letras y música con mi madre, ser un niño rico en el pueblo, un mandón.

—*¿Te desplazas pronto de tu pueblo?*

—A un colegio de Almería, en seguidita. Pero me sorprende un tremendo flemón y mis padres creen en mi próxima muerte y me llevan al pueblo otra vez, a cuidarme.

—*¿A qué te gustaba jugar de chico?*

—A eso que juegan los niños que van a salir «tontos puros», poetas. A decir misas, hacer altares, construir teatritos...

—*¿Qué más estudiaste?*

—Estudié mucho. Estuve en el Sagrado Corazón de Jesús, en Granada. Yo sabía mucho, mucho. Pero en el Instituto me dieron cates colosales. Luego, en la Universidad. Yo he fracasado en Literatura, Preceptiva e Historia de la Lengua castellana. En cambio, me gané una popularidad magnífica poniendo motes y apodos a las gentes.

—*¿Cuántos hermanos tienes?*

—Tres.

—*¿Amigos?*

—Muchos.

—*Destaca algunos.*

—El grupo de *Gallo,* la revista nuestra, la nueva cuerda granadina: Joaquín Amigo, Arboleya, Ramos, Ayala, Fernández Casado, Menoyo...

—*¿Qué otras fueron las cuerdas granadinas anteriores?*

—Antes de nosotros, la de Almagro, Gallego Burín, Navarro Pardo, Campos Aravaca y el gran Paquito Soriano Lapresa, el que nos ha dado lectura a todos con su gran biblioteca. Antes, el grupo de Ganivet, con don Nicolás María López, S. Matías Méndez, Bellido, Barracheguren. Antes, las Academias del siglo dieciocho. Antes, Pedro Soto de Rojas y sus amigos... Antes...

—*¿Boabdil?*

—Sí, Boabdil.

—*¿Y los amigos de Madrid, de tu «Residencia»? ¿Cómo viniste a la «Residencia»?*

—Yo estudiaba Derecho y Letras en Granada. Antes había estudiado música con un profesor que había hecho una ópera colosal, *Las hijas de Jephté,* que se llevó un horrible pateo. Yo le dediqué mi primer libro, *Impresiones y paisajes.* Había recorrido España con mi profesor y gran amigo, a quien tanto debo, Domínguez Berrueta. Me tenían preparado el que me marchara pensionado a Bolonia. Pero mis conversaciones con Fernando de los Ríos me hicieron orientarme a la «Residencia» y me vine a Madrid a seguir estudiando Letras.

—*Aquí, ¿tus camaradas habituales...?*

—Dalí, Buñuel, Sánchez Ventura, Vicéns, Pepín Bello, Prados y tantos otros.

—*Dicen que se puede escribir un libro con tus aventuras de colegio, de «Residencia». ¿Cuál te parece la más divertida?*

—La de la «Cabaña en el desierto». Un día nos quedamos sin dinero Dalí y yo. Un día como tantos otros.

Hicimos en nuestro cuarto de la «Residencia» un desierto. Con una cabaña y un ángel maravilloso (trípode fotográfico, cabeza angélica y alas de cuellos almidonados). Abrimos la ventana y pedimos socorro a las gentes, perdidos como estábamos en el desierto. Dos días sin afeitarnos, sin salir .de la habitación. Medio Madrid desfiló por nuestra cabaña. También hemos encontrado nosotros eso de los «putrefactos», ya generalizado.

—¿Qué cosas has escrito?

—Yo empecé a escribir a los diecisiete años. Mi primer libro: *Impresiones y paisajes*. Luego: *Suites* (sin publicar); *Poema del cante jondo* (sin publicar); *Libro de poemas* (Ed. Maroto, 1921); *Canciones* (Litoral, 1927); *Romancero gitano* (Revista de Occidente, 1928); *Mariana Pineda (La Farsa,* 1928).

—¿Qué preparas?

—Odas; *Las tres degollaciones (La Gaceta Literaria);* un tomo de teatro: *Amor de don Perlimplín con Belisa en su jardín* y *Los títeres de Cachiporra;* un *Libro de dibujos* (de mi exposición en Barcelona); y otros.

—¿Cuál es tu posición teórica actual?

—Trabajar puramente. Vuelta a la inspiración. Inspiración, puro instinto, razón única del poeta. La poesía lógica me es insoportable. Ya está bien la lección de Góngora. Apasionado instintivista, por ahora.

—¿Te parece bien que te llame, querido Lorca, diamante invalutable, porvenir sin tiempo actual, ciprés horóscopo, motor y peineta, salsa de seguidilla y triunfo del rey de bastos, Hércules de nieve y moro?

—No veo más inconveniente que uno: el que me quitas mi récord supremo de los motes.

(E. Giménez Caballero, *La Gaceta Literaria,* Madrid, 15-XII, 1928. Entrevista recogida por Marie Laffranque, *Bulletin Hispanique,* LVIII, 3, 1956, pp. 305-307.)

III

EL AUTOR DE *BODAS DE SANGRE*
ES UN BUEN AMIGO DE LOS JUDIOS

UNA CHARLA CORDIAL EN EL «HALL»
DEL AVENIDA

¿Sería posible que el poeta español, el maravilloso autor del Romancero gitano, *no iba a tener nada que decirnos acerca de los judíos en España?*

Una de esas personas que se creen bien informadas nos había asegurado categóricamente:

—*No insistan. García Lorca no puede ver a los judíos…*

No lo pudimos creer. Los poetas no son malos. ¿Cómo un hombre que ha hilvanado palabras hermosas puede abrigar en su corazón un sentimiento tan feo como la injusticia?

Y, seguros, nos decidimos a abordar al temible enemigo de los judíos.

La amplia sonrisa nos impidió reconocer al hombre.

Sólo al cabo de un rato, cuando empezó a hablar, advertimos la proximidad de García Lorca.

Un hombre franco y cordial. Sin empaque y sonriente como sus versos.

Tomó nuestra revista, la hojeó, y advirtiendo que se trataba de una publicación israelita, nos dijo:

—¡Hombre! ¿Judíos? Pues les contaré algo reciente, en lo que actué por una imprevisión lamentable.

«TARASCA», POR JUDIA

—Ustedes saben que en España se quiere a los judíos; quizá como en ninguna parte. Pero no hay que atribuir excesiva importancia a los modismos del lenguaje corriente, que han perdido a través del tiempo sus aristas primitivas. Son palabras que se pronuncian maquinalmente, por costumbre heredada, sin remontarse a su origen, quizá ofensivo.

Así sucede con la palabra *judío*. Se dice judío despectivamente, sí, pero sin pensar en los judíos. La palabreja, incorporada a los motes de uso habitual, ya perdió su significado primero.

Y en *La zapatera prodigiosa* uno de mis personajes la pronunciaba claramente y con todo desenfado. Pues bien, después de la primera representación, recibí una carta firmada por una dama israelita, en la que se me reprochaba enérgicamente mi delito involuntario.

Yo fui el primer dolido, por haberla escrito, y en las sucesivas representaciones se cambio la palabra culpable por la más inofensiva de «tarasca».

—Nos alegran sus palabras, porque, en verdad, ya nos imaginábamos que usted no tendría motivos para odiarnos. Judíos hubo en España, y el parentesco, aunque lejano, no deja de ser efectivo.

—No tanto. Cercano y bien cercano. Mi segundo apellido es judío. De manera que ya ven ustedes que, llevando un nombre de filiación semita, mal podría yo tenerles odio o cosa parecida. Y en cuanto al parentesco con España, les contaré algo muy expresivo.

EL ROMANCE DE GERINELDO EN SALONICA

El año pasado, mi hermana Isabelita realizó un viaje, en el transcurso del cual llegó a Salónica.

Paseaba por las calles de la vieja ciudad, en la que hay tantos judíos de origen español, cuando oyó de pronto algo que la clavó sorprendida en el suelo:

> *Gerineldo, Gerineldo,*
> *el mi paje más querido,*
> *quisiera hablarte esta noche*
> *en este jardín sombrío...*

Era nada menos que el famoso romance. ¡«Gerineldo» cantado en Salónica, en el año de gracia de 1932!... ¿Algo, no?

A mi hermana el episodio le conmovió hasta las lágrimas, y quiso conocer a la mujer que entonaba los versos: era una anciana nacida en Salónica.

TODA UNA FRASE

Cuando Isabelita quiso saber cómo había llegado hasta ella el viejo romance, la sorprendida fue la mujer:

—¿Y cómo no había de saberlo? Sepa usted que yo soy aragonesa.

A través de tantos siglos de ostracismo, la mujer sentía todavía el orgullo de su estirpe hispana...

Esto le dará a usted una medida de cómo aman los judíos a España.

—*Sí, y también dará un mentís a los que afirman con mucha soltura que el judío no siente apego al suelo en que ha nacido.*

Ya ve usted: cuatro siglos o más de ausencia no bastaron a una judía española para que reivindicara en la primera oportunidad su origen peninsular.

¿No se podría construir con este delicioso episodio un romance perfumado de evocación?

Pero el ensayo tenía que continuar, imperiosamente. El piano empezó a mordisquear una melodía fresca.

Dejamos al poeta. Y nos alejamos llevando un recuerdo emocionado de este muchacho español que, sin adoptar posturas académicas, ni fruncir demasiado el ceño, ha escrito los versos más lindos del mundo.

[Se cierra la entrevista mediante la reproducción de un autógrafo:]

«Por medio de la Revista Sulem tengo la satisfacción de dirigir un cordial saludo a la colonia sefardita de Buenos Aires. Federico García Lorca. 1933.»

(Marcelo Menasché, *Sulem. Revista social ilustrada para la colectividad israelita*, I, 2, Buenos Aires, 25-12-1933.)

IV

MUSICA DE F. GARCIA LORCA
PARA DOS ROMANCES
(Transcripción de Regino Sáinz de la Maza)

1

PRENDIMIENTO DE ANTOÑITO EL CAMBORIO

An to nio To rres He re dia, hi jo y nie to de Cam bo rio Con u na va ra de mim bre va a Se vi lla a ver los to ros con un-a va ra de mim bre va a Se vi lla a ver los to ros

2

MUERTE DE ANTOÑITO EL CAMBORIO

Vo ces de muer te e se o ye ron vo

ces de muer te se o ye ron cer ca del Gua

dal qui vi-ir

V

CRONOLOGIA CRITICA
DEL PRIMER *ROMANCERO GITANO*

La siguiente cronología pretende recoger de manera ornedada todos los textos de Federico García Lorca —fragmentos de cartas, conferencias, declaraciones y entrevistas—, más los testimonios ajenos que guardan relación con el *Primer romancero gitano*. Se ha dado cabida a otros datos que no atañen directamente al libro, pero que pueden iluminar alguno de sus aspectos.

Para la segunda edición ha sido revisada la adscripción cronológica de algunos datos y textos citados, introduciendo las correspondientes modificaciones de fechas, cuando no de matización distinta en las hipótesis. Asimismo, he tratado de completar la documentación en torno al *Romancero*. Es de destacar la incorporación de las noticias inéditas que proporcionan los autógrafos de romances conservados en el archivo de la familia del poeta, de acuerdo con los datos recopilados por André Belamich en su edición de F. García Lorca, *Oeuvres complètes*, I, Paris, Gallimard, 1981.

Puesto que en esta cronología razonada se justifican las fechas dadas a las cartas de García Lorca que atañen al

Romancero (sabido es que el poeta no fechó casi nunca su correspondencia), omito señalar las divergencias en este punto con la nueva edición citada. Ante la posibilidad de alargar más allá de lo prudente estas notas, se ha preferido dar prioridad a la voz de poeta y a la de sus amigos o críticos. A través de los fragmentos marcados en cursiva el lector puede seguir la génesis e incidencias del célebre libro lorquiano.

1898-1908

Infancia campesina de F. G. L. en dos pueblos de la vega granadina: Fuente Vaqueros, lugar de su nacimiento, y Asquerosa (hoy Valderrubio). En 1935, en un improvisado discurso dado en Barcelona durante un homenaje con motivo del estreno de *Doña Rosita la soltera,* el poeta —escribe un periodista— *exaltó nada menos que a las «criadas», esas criadas de su infancia, «Dolores la Colorina», «Anilla la Juanera», que le enseñaron oralmente los romances, leyendas y canciones que despertaron su alma de poeta:*
—¿Qué *sería de los niños ricos —dijo— si no fuera por las sirvientas, que los ponen en contacto con la verdad y la emoción del pueblo? (OC,* II, p. 1074).
Ya en su conferencia *Las nanas infantiles* (1928) F. G. L. había dicho: *El niño rico tiene la nana de la mujer pobre, que le da al mismo tiempo, en su cándida leche silvestre, la médula del país.*
Estas nodrizas, juntamente con las criadas y otras sirvientas más humildes, están realizando hace mucho tiempo la importantísima labor de llevar el romance, la canción y el cuento a la casa de los aristócratas y los burgueses. Los niños ricos saben de Gerineldo, de don Bernardo, de Tamar, de los amantes de Teruel, gracias a estas admirables criadas y nodrizas que bajan de los montes o vienen a lo largo de nuestros ríos para darnos la primera lección de historia de España... (OC, I, p. 1077). Dolores «la Colorina», que se mantuvo ligada a la familia García Lorca incluso tras su traslado a Granada en 1908, fue nodriza de Francisco García Lorca, quien trazaría una hermosa semblanza de ella en *Federico y su mundo,* Madrid, 1980, pp. 71-77.

1918

Al fin de *Impresiones y paisajes,* primer libro del poeta, anuncia éste la publicación, entre otras obras, de *Tonadas de la vega (Cancionero popular).* El proyecto, que se engarza con otros posteriores, sólo tuvo realidad parcial a través de una grabación discográfica (1931) con Encarnación López, «la Argentinita».

1919

F. G. L. se traslada para seguir sus estudios a la Residencia de Estudiantes, de Madrid, donde vivirá hasta 1928. Allí trabará amistad con Emilio Prados, Salvador Dalí, Luis Buñuel, José Bello, José Antonio Rubio Sacristán, etc. Ha narrado uno de aquellos residentes, Modesto Laza Palacios:

Federico era excepcional en la presencia simpática y avasalladora, con sus grandes ojos negros fulgurantes de brillos maliciosos y pícaros.

Cuando se sentaba al piano para acompañarse en el recitado o en el canto, cantaba muchos romances antiguos con melodías de la época o con otras que él les inventaba, lucía una voz profunda y varonil, con matices delicados llenos de ignoradas añoranzas. Tenía dedos eléctricos.

Cuando nos reuníamos en su cuarto a escuchar sus poemas, a veces nos consultaba con profunda sinceridad si aquella imagen o aquella palabra debían ser cambiadas o sustituidas. Alguna vez aceptó ligeras modificaciones de quien se atrevía a proponerlas, que siempre era Prados.

«Recuerdo de cuatro amigos», *Sur,* 14-IV-1971.

1920

F. G. L. acompaña a Ramón Menéndez Pidal, sirviéndole de guía, «por las calles del Albaicín y por las cuevas del Sacro Monte» para recoger romances orales «en aquellos barrios gitanos de la ciudad». R. Menéndez Pidal, *Romancero hispánico (Hispano-portugués, americano y sefardí). Teoría e historia,* t. II, Madrid, 1968, pp. 438-439.

Según el recuerdo de Isabel García Lorca, Menéndez Pidal recogió romances de una criada de su casa —Paca de nombre— y escuchó a Federico al piano.

En aquella ocasión F. G. L. copia de su mano, con lápiz color violeta y en dos hojas, el romance de *Gerineldo* y el de *La condesita*. Ambos le fueron recitados, de acuerdo con la indicación al pie de la segunda hoja, por Isabel García, de 35 años, quien «Lo cantaba en la plaza de la Mariana, en Granada». Conservado el doble autógrafo en el Archivo Menéndez Pidal (agradezco la ayuda prestada por Ana Valenciano y Jesús Antonio Cid), pueden deducirse por la fecha y lugar consignados —aparte la similitud del papel de cuaderno que se usó— algunos de los romances recogidos en Granada por Ramón Menéndez Pidal: junto a los dos citados, varias versiones de *Don Bueso* (una de ellas cantada por Nicolasa Gravioto, de Albuñol, portera de la casa donde vivía Fernando de los Ríos), del romance infantil dedicado a Mariana Pineda y, muy probablemente, de *Los peregrinitos* y del romance de *Tamar*. Adviértase, de todos modos, que esta reconstrucción de la excursión pidaliana es sólo parcial.

1921

¿Mayo-junio?

Ahora trabajo mucho bajo mis eternos chopos y «bajo el pianísimo del oro». Quiero hacer este verano una obra serena y quieta; pienso construir varios romances con lagunas, romances con montañas, romances con estrellas; una obra misteriosa y clara, que sea como una flor (arbitraria y perfecta como una flor): ¡toda perfume! Quiero sacar de la sombra a algunas niñas árabes que jugaron por estos pueblos y perder en mis bosquecillos líricos a las figuras ideales de los romancillos anónimos. Figúrate un romance que en vez de lagunas tenga cielos. ¡Hay nada más emocionante! Este verano, si Dios me ayuda con sus palomitas, haré una obra popular y andalucísima. Voy a viajar un poco por estos pueblos maravillosos, cuyos castillos, cuyas personas parece que nunca han existido para los poetas y... ¡¡Basta ya de Castilla!!

(Carta número 10 a Melchor Fernández Almagro, en F. G. L., *Cartas, postales, poemas y dibujos*, ed. A. Ga-

llego Morell, Madrid, 1968, p. 49. Esta carta es, con toda
probabilidad, de la primavera de 1921, por más que haya
sido fechada por su editor en la primavera de 1923. F. G. L.
alude en el fragmento citado al poema «Canción» *(OC,* I,
p. 745), perteneciente en su origen al conjunto «Seis canciones de anochecer», cuyo manuscrito fue fechado a su
término el 14 de agosto de 1921. «Canción» —con el título
de «Solitario» en su redacción primera— es el tercer poema de la serie, y debía haber sido leído recientemente a
Fernández Almagro, lo que justificaría la mención de dos
de sus versos: «bajo el pianísimo / del oro». Por otro
lado, es frecuente que el poeta describa un proyecto antes
de su ejecución. Si no parte del *Romancero gitano,* en
la carta queda claramente aludido el «Romance con lagunas». (Para la fecha de «Seis canciones de anochecer»,
cf. F. G. L., *Obras,* I, *Poesía,* 1, ed. M. García-Posada,
Madrid, 1980, p. 555.)

28 de diciembre

Primera redacción del «Romance con lagunas», que en
su versión definitiva *(Romancero gitano,* 1928) se llamará
«Burla de Don Pedro a caballo», quedando el título anterior como subtítulo explicativo. En un manuscrito sin fecha del «Romance del emplazado» (F. G. L., *Autógrafos,*
I, ed. R. Martínez Nadal, Oxford, 1975, p. 170) una lista
que enumera siete romances del libro nos proporciona el
título «Don Pedro enamorado», tal vez simple recordatorio del tema, no título real.

La fecha de la primera redacción está atestiguada en dos
manuscritos. El primero, con variantes de importancia y
datado el «28 de diciembre 1921», le fue entregado por
el poeta a E. Díez-Canedo, según consulta que agradezco a
Francisco Giner de los Ríos; el segundo, enviado por
carta a J. Romero Murube para su publicación en la revista *Mediodía* (cf. año 1927 de esta cronología), lleva la
fecha «28 de diciembre 1921-1927», de acuerdo con Jac-
ques Comincioli, *F. G. L., Textes inédits et documents
critiques,* Lausanne, 1970, pp. 32-33 y 148. Los dos años
parecen indicar redacción primera y corrección final, previa, de todos modos, al añadido del título definitivo y revisión (mínima) del texto impreso.

En el curso del año escribe un detallado guión y los diálogos de la ópera cómica en un acto *Lola la comedianta,* que habría de ilustrar musicalmente Manuel de Falla. A esta obra pertenece en su origen el romance «Arbolé arbolé», que se incorporaría a *Canciones.* Cf. Mario Hernández, «García Lorca y Manuel de Falla: una carta y una obra inéditas», *El País,* 24-12-1977, y F. García Lorca, *Lola la comedianta,* ed. Piero Menarini, Madrid, 1981, pp. 37, 161 y 181.

Junio

Tengo el proyecto de hacer un gran romance teatral sobre Marianita Pineda y ya lo tengo resuelto (...). Mi pensamiento es poner en escena los últimos días de la mujer granadina.

(Carta número 4 a A. Gallego Burín, ed. A. Gallego Morell, obr. cit., p. 123; *OC,* II, p. 1107.)

Otoño

Relata José Mora Guarnido en su libro de recuerdos *F. G. L. y su mundo* (Buenos Aires, 1958, pp. 209-210):

«Antes de mi salida de Granada —otoño de 1923— en nuestros paseos por las calles solitarias en la madrugada, me había recitado, estoy seguro, casi todos los romances que en 1927 (sic) *se publicaron (...) bajo el título de Romancero gitano. Uno de ellos especialmente, el titulado Romance de la luna luna (primero de la serie), me había producido tan intensa impresión, había puesto yo tan cálida sinceridad al celebrárselo que me dijo: "Te lo voy a dedicar", sacó el original del bolsillo e inscribió la dedicatoria.»*

A continuación narra Mora Guarnido la publicación «algún tiempo después» del citado romance en la revista bonaerense *Proa,* todavía dedicado a él, y su relativa molestia ante la desaparición de su nombre, cambiado por el de Conchita García Lorca en la dedicatoria definitiva del libro. La verosimilitud del dato y fecha de composición de al menos uno de los romances (posiblemente sólo de éste, si hacemos excepción del «Romance con lagunas» o de otros que pasarían a *Suites y Canciones*) cobra fuerza si pensamos que Mora Guarnido emigró a América del Sur en la fecha indicada, no dándose en él, por lo tanto, una superposición de recuerdos posteriores a 1923, hecha excepción del reencuentro en 1933. Refrenda la historia narrada la implicación personal en la anécdota y el hecho de que García Lorca «desagraviara» a Mora, según éste narra, copiándole el «Romance de la luna luna» en Montevideo e ilustrándole el manuscrito con «una cabeza de Pierrot bajo una negra luna aureolada de blanco». En esta ocasión el romance será fechado en 1926, con fallo indudable de memoria.

13 de octubre

M. Fernández Almagro, en su artículo «El mundo lírico de García Lorca» (*España,* núm. 391, pp. 7-8) alude a poemas de *Suites, Poema del cante jondo* (nombrado aún sólo como *Cante jondo*) y *Canciones,* sin citar, en cambio, ningún «romance gitano». Entre otros poemas aludidos, muchos de las desconocidas *Suites,* se menciona al viento «galán de torres», con clara alusión al romance «Arbolé arbolé».

1924

En el curso del año comienza el «Romance de la Guardia Civil española». Cf. carta número 14 a Jorge Guillén (*Federico en persona,* Buenos Aires, 1959, p. 108) y año 1926 de esta cronología.

29 de julio

Bajo el título de *Romances gitanos,* y numerado bajo el número 1, F. G. L. copia el «Romance de la luna luna», sin título en el manuscrito. Cf. *Autógrafos,* ed. cit., pp. 138-141.

El título genérico, más la numeración del romance, que indicaría orden de sucesión en un manuscrito organizado, nos dan a entender que estamos ante una copia en limpio a partir de un borrador anterior, lo que no impide nuevas correcciones. Por este motivo la fecha consignada por el autor puede ser la de la versión que en ese momento considera última, así como la citada fecha de 1926 podría corresponder, por confusión del autor, al año central de escritura del libro, cuando no al de la primera edición del romance.

A propósito del título *Romances gitanos* ha escrito Modesto Laza Palacios en su citado artículo de *Sur* (cf. año 1919):

> ... *Uno de aquellos días discutió vivamente con Prados si había cambiado en* Litoral, *que hacía Prados aquí, en Málaga,* Romances gitanos *por* Romancero gitano, *y creo que prevaleció finalmente la corrección de Prados.*

Según documento más adelante, en 1926 se publican en *Litoral* tres «Romances gitanos». La discusión con Prados pudo surgir con este motivo, pero no determinó el cambio de título en la revista; parece que sólo la fijación del título definitivo, que habría sido sugerido por el poeta malagueño y precisado luego por García Lorca: *Primer romancero gitano.*

30 de julio

Manuscrito con esta fecha del «Romance de la pena negra», escrito, a lo que puede deducirse, sobre el mismo tipo de papel que el «Romance de la luna luna». Cf. *Autógrafos,* ed. cit., pp. 150-155.

Los dos primeros versos del romance —«Las piquetas de los gallos / cavan buscando la aurora»—, además de denotar una valiente interpretación de un célebre verso del *Poema de Mio Cid,* fueron retomados por el poeta de un borrador anterior (1921), el del poema «Cueva», primero de un serie que se habría titulado «La Bulería de la muerte», como parte del *Poema del cante jondo.* García Lorca desestimó el poema y la serie citados, de los que queda constancia por una sola hoja conservada en su Archivo. Cf. A. Belamich, obr. cit., pp. 171, 163 y 1393.

Agosto

He trabajado bastante y estoy terminando una serie de romances gitanos *que son por completo de mi gusto. También estoy haciendo interpretaciones modernas de figuras*

*de la mitología griega, cosa nueva en mí y que me distrae
muchísimo. De teatro he terminado el primer acto de una
comedia (por el estilo de los Cristobicas) que se llama
«La Zapatera Prodigiosa», donde no se dicen más que las
palabras precisas y se insinúa todo lo demás.*

(Carta número 12 a M. F. A., obr. cit., p. 53. Fechada
esta carta por su editor en julio de 1923, la pospongo en
un año por su evidente relación con los autógrafos del
Romancero editados por R. Martínez Nadal, anteriormente
reseñados. En el lenguaje lorquiano, de todos modos, el
«estoy terminando» ha de ser entendido con cierta relati-
vidad. Apoya la nueva fecha propuesta cuanto sabemos de
la génesis de *La zapatera prodigiosa*.)

2 de agosto

En esta fecha data el poeta un autógrafo de su «Romance sonámbulo», escrito, con algunas tachaduras y correcciones, en cuatro cuartillas. Sobre el título definitivo, García Lorca tacha otros: «La gitana» y «Romance de Adelaida Flores y Antonio Amaya». Se conserva este manuscrito en el Archivo García Lorca. Cf. A. Melamich, obr.
cit., p. 1407.

17 de setiembre

*Vivo en una continua sorpresa (...) Debes venir a este
paraíso en cuanto puedas. He encontrado curiosísimos
cuentos y romances.*

(Lanjarón, carta número 19 a M. F. A., obr. cit., p. 67.)

Setiembre

*No sabes lo que me agrada que te hayan gustado mis
poemas, sobre todo el romance gitano. Si tú me contestas
pronto, yo te enviaré un* romance sonámbulo *que he terminado. Me gusta Granada con delirio, pero para vivir
en otro plan; vivir en un carmen, y lo demás es tontería;
vivir cerca de lo que uno ama y siente. Cal, mirto y surtidor.*

(Carta número 14 a M. F. A., obr. cit., pp. 56-57. Fechada por su editor en setiembre de 1923, la pospongo en

un año por la fecha del primer poema que al fin de la carta copia el poeta: «Canción», luego «Es verdad» en el libro de *Canciones*. El manuscrito del poema, tal como se conserva en el archivo familiar, lleva la fecha de «22 de agosto 1924». Por otro lado, la carta aludé a otra anterior que ha debido perderse, pues no se sabe a qué «romance gitano» se refiere el poeta. Finalmente, «cal, mirto y surtidor» nos sitúan en un ámbito próximo al de «La monja gitana»: «Silencio de cal y mirto»...)

Octubre

Ha escrito Rafael Alberti, hombre de probada y excepcional memoria, sobre su primer encuentro con F. G. L.:

Estábamos en los jardines de la Residencia de Estudiantes (Altos del Hipódromo), en donde García Lorca —aspirante a abogado— pasaba todo el curso desde hacía varios años. Como era el mes de octubre, el poeta acababa de llegar de su Granada. (...) Nunca había oído recitar a Federico. Tenía fama de hacerlo muy bien. Y en aquella oscuridad, lejanamente iluminada por las ventanas encendidas de las habitaciones, comprobé que era cierto. Recitaba García Lorca su último romance gitano, traído de Granada:

Verde que te quiero verde...

(...) de aquella primera noche de nuestra amistad sólo recordaré siempre el «Romance sonámbulo», su misterioso dramatismo, más escalofriante todavía en la penumbra de aquel jardín de la Residencia susurrado de álamos. Cf. *La arboleda perdida*, Buenos Aires, 1959, pp. 172-173.

1925

8 de enero

Fecha del manuscrito de *Mariana Pineda*.

Julio

Hago unos diálogos extraños, profundísimos de puro superficiales, que acaban todos ellos con una canción.

(Carta número 28 a M. F. A., obr. cit., p. 76. Modifico la fecha dada por el editor, conocida la fecha de composición de la «Escena del teniente coronel de la Guardia Civil», tal como consta en la primera edición del *Poema del cante jondo* y en *Autógrafos* [obr. cit., p. 106]: «5 de julio 1925». F. G. L. nombra en su carta, aparte de la citada «Escena», «La doncella, el marinero y el estudiante» y tal vez el «Paseo de Buster Keaton», bajo el título de «Diálogo de la bicicleta de Filadelfia». Menciona otros dos diálogos desconocidos —«El loco y la loca» y «Diálogo de la danza»— y no nombra el «Diálogo del Amargo», fechado el 9 de julio del mismo año y seguramente no compuesto cuando la carta fue escrita.

Tanto la «Escena» como el «Diálogo del Amargo» terminan, como el poeta indica, con sendas canciones. Así como la «Canción de la madre del Amargo» no se confunde con el «Romance del emplazado», tampoco ha de confundirse la «Canción del gitano apaleado» con el luego mencionado [cf. año 1926] «Romance del gitanillo apaleado».)

20 de agosto

Manuscrito con esta fecha del romance «La monja gitana». Carece de título. Cf. *Autógrafos,* ed. cit., pp. 142-145.

1926

20 de enero

Manuscrito autógrafo —copia en limpio— de «Prendimiento de Antoñito el Camborio en el camino de Sevilla», con la fecha que se consigna. Sobre la composición consta el siguiente epígrafe: «(romance gitano)». Entiendo que el poeta quería diferenciar el poema, como hará con «Preciosa y el aire», de los restantes de la serie entregada a Enrique Díez-Canedo en 1926, donde se incluyen los dos citados junto con el «Romance con lagunas» (cf. 1921). Este, sin embargo, carece del epígrafe citado. La fecha de composición de «Prendimiento» se ve confirmada por la carta a Francisco García Lorca en la que Federico menciona también «Preciosa» (vid. *infra*). Al margen de las variantes de

171

puntuación y del olvido de una preposición en el v. 43 —«Y [a] las nueve de la noche»—, el manuscrito sólo difiere de la versión definitiva en la presencia de dos versos finalmente suprimidos. Tras los vv. 33-34 («Ni tú eres hijo de nadie / ni legítimo Camborio»), había añadido: «¡Gastas cintillos de plata / y corazón sin enojo!» Estos dos versos, ya con una errata («enojos»), se mantienen en la deturpada versión editada por Emilio Prados en *Litoral,* sobre la que el poeta se lamentaría (cf. enero de 1927).

27 de enero

Manuscrito con esta fecha de «La casada infiel» (*Autógrafos,* ed. cit., pp. 146-149). A pesar de las correcciones que tiene, no parece que estemos ante un borrador primero, sino ante una copia a pluma de un manuscrito anterior.

28 de enero

Manuscrito autógrafo —copia en limpio— de «Preciosa y el aire», de la serie E. Díez-Canedo, con la fecha que se consigna. Esta versión sólo se distingue de la definitiva por las variantes de puntuación. A partir de este dato se coligen las graves deturpaciones que este romance, igual que «Prendimiento», ha de sufrir en su edición de *Litoral* (nov. 1926), por los evidentes yerros del editor en la lectura del autógrafo recibido.

13 de febrero

F. G. L. lee su conferencia sobre *La imagen poética en don Luis de Góngora* en el Ateneo granadino.

Febrero

Dentro de pocos días quiero marchar a Madrid. He arreglado mis libros. Han salido estupendos. Tres. Tienen, cosa que yo no creía, una rarísima unidad. Pero he de publicarlos los tres juntos porque se completan uno a otro y forman un conjunto poético de primer orden. Estoy con-

vencido. Su aparición puede ser y así me lo aseguran todos
los amigos que están entusiasmados con la idea un acon-
tecimiento íntimo. Yo estoy decidido a esto. He trabajado
en pulir *cosas. Las suites arregladas quedan deliciosas y*
de un lirismo profundísimo. Son tres. Un libro de Suites.
Un libro de Canciones cortas, ¡el mejor! Y el poema del
cante jondo con las canciones andaluzas. El romancero
gitano quisiera reservarlo y hacer un libro sólo de roman-
ces. Estos días he hecho algunos, como el de Preciosa y
el «Prendimiento de Antoñito el Camborio». Son interesan-
tísimos. Si me contestas pronto, te los mandaré. También
he terminado la Oda a Salvador Dalí, que queda una gran
pieza de ciento cincuenta versos alejandrinos.

(...) Me siento capaz de realizar una gran obra original
y tengo la fe de que la haré. Necesito un secretario y un
editor que tienen que salir. Yo soy capaz de crear, pero
casi nulo de realizar prácticamente lo creado. Ahora esto
que he hecho obligado por la necesidad ha sido a costa
de un gran esfuerzo. Pero he disfrutado como no tienes
idea. He visto completas cosas que antes no veía y he
puesto en equilibrio poesías que cojeaban pero que tenían
la cabeza de oro.

(...) El país [las Alpujarras] está gobernado por la guar-
dia civil. Un cabo de Carataunas, a quien molestaban los
gitanos, para hacer que se fueran los llamó al cuartel y con
las tenazas de la lumbre les arrancó un diente a cada uno
diciéndoles: «Si mañana estáis aquí caerá otro.» Natural-
mente los pobres gitanos mellados tuvieron que emigrar a
otro sitio. Esta Pascua en Cáñar un gitanillo de catorce
años robó cinco gallinas al alcalde. La guardia civil le ató
un madero a los brazos y lo pasearon por todas las calles
del pueblo, dándole fuertes correazos y obligándole a can-
tar en alta voz. Me lo contó un niño que vio pasar la co-
mitiva desde la escuela. Su relato tenía un agrio realismo
conmovedor. Todo esto es de una crueldad insospechada...
y de un fuerte saber fernandino.

(Carta a su hermano Francisco García Lorca, recogida
en mi introducción al libro de éste, *Federico y su mundo*,
Madrid, 1980, pp. XIX-XXI. Corrijo la fecha dada en la
citada introducción, ya que la carta debe ser de la segunda
mitad de febrero, antes de la publicación de la «Oda a

Salvador Dalí» en *Revista de Occidente* [núm. de abril, XXXIV] y de la carta de 2 de marzo a J. Guillén que luego se cita.)

Febrero-marzo

A comienzos de 1926 estaría ya iniciada la obra *Amor de Don Perlimplín con Belisa en su jardín,* definida desde el primer momento por su autor como «aleluya erótica», según la carta número 34 a M. F. A. (obr. cit., p. 83), en la que se incluye un fragmento del diálogo. Este recoge la serenata de Belisa, coincidente con un poema de *Canciones.* La carta, fechada por su editor en 1926, sin especificar mes, debe ser de febrero o marzo, como se deduce por comparación con la carta número 5 a J. G. (obr. cit., p. 83).

Después de la cita del *Perlimplín,* F. G. L. copia «este romance gitano nuevo» *(sic),* titulado en la carta «Romance gitano de la luna luna de los gitanos». Esta versión coincide sustancialmente con el ya citado manuscrito de 1924. Al término del romance, añade el poeta:

Te envío éste, que es el primero que hice y es el más corto. Hay otros con los siguientes títulos: «El romance de la pena negra en Jaén», «El romance de los barandales altos», «El romance de la Guardia civil», «El romance de Adelaida Flores y Antonio Amaya» y otros de diferentes clases. Mi idea es hacer un romancero gitano, *pero ¡venga hacer versos!, ¡venga hacer versos! para no publicar un solo libro..., ¡me da verdadera pena!, ¡y ganas de romperlos!*

Si el «Romance de la luna» es el primero escrito, como declara (y confirma la numeración del citado manuscrito de *Autógrafos*), el «Romance con lagunas» no debía pertenecer aún, en la mente del poeta, al libro futuro.

«El romance de los barandales altos» debe ser denominación primera del «Romance sonámbulo». Este, citado de este modo anteriormente, quedaba *definido,* no titulado, como podría deducirse por el subrayado, y no entrecomillado, del nombre definitivo del romance. De éste, en su versión definitiva, son los versos siguientes: «ella sueña en su baranda», «hasta las verdes barandas», «barandales de la luna», «hacia las altas barandas», «en esta verde baranda».

«El romance de Adelaida Flores y Antonio Amaya» no resulta claramente identificable. Podría tratarse, como hipótesis a confirmar, de una versión de «La casada infiel». En el ya citado manuscrito de este romance *(Autógrafos)* aparecen los siguientes versos: «me porté como quien soy / como un Amaya legítimo». No obstante, un autógrafo del «Romance sonámbulo» presenta en su primera hoja dos títulos tachados: «La gitana» y «Romance de Adelaida Flores y Antonio Amaya». Cf. A. Belamich, ed. cit., p. 1407. Dada la costumbre del poeta de reutilizar cuartillas con títulos desechados, o pertenecientes a piezas pospuestas, no ha de descartarse la posibilidad de que los dos títulos citados estuvieran referidos a un romance distinto del sonámbulo.

Por el orden de mención tal vez el poeta realiza su enumeración de títulos a partir de una posible copia realizada en 1924. Como se ha indicado, tres son las versiones autógrafas de romances datados en fechas contiguas de dicho año: «Romance de la luna luna» (29 de julio), «Romance de la pena negra» (30 de julio) y «Romance sonámbulo» (2 de agosto).

2 de marzo

Ahora trabajo mucho. Estoy terminando el Romancero gitano. Nuevos temas y viejas sugestiones. La guardia civil va y viene por toda la Andalucía. Yo quisiera poderte leer el romance erótico de la «casada infiel» o «Preciosa y el aire». «Preciosa y el aire» es un romance gitano, que es un mito inventado por mí. En esta parte del romancero procuro armonizar lo mitológico gitano con lo puramente vulgar de los días presentes, y el resultado es extraño, pero creo que de belleza nuva. Quiero conseguir que las imágenes que hago sobre los tipos sean entendidas por éstos, sean visiones del mundo que viven, y de esta manera hacer el romance trabado y sólido como una piedra. En componer el romance del «Gitanillo apaleado» he tardado mes y medio pero... estoy satisfecho. El romance está fijo. La sangre que sale por la boca del gitanillo no es ya sangre... ¡es aire!

(Carta número 5 a J. G., obr. cit., pp. 83-84. El «Romance del gitanillo apaleado» debió ser uno de los romances desechados a última hora del libro, tal vez porque quedó inacabado. No ha de ser confundido, como hasta ahora se ha hecho, con la «Canción del gitano apaleado», cierre de la «Escena del teniente coronel de la Guardia Civil». Como se ha indicado, éste y otros diálogos habían de terminar con una canción, que no romance. En el archivo de la familia del poeta se conserva el borrador inacabado de un romance que presenta dos títulos: «Romance de la gran paliza» y «La flecha en el seno». Cf. F. G. L., *Poeta en Nueva York. Tierra y luna,* ed. Eutimio Martín, Barcelona, 1981, p. 214. Probablemente se trata de uno de los tres romances que García Lorca dice estar escribiendo en 1929, en carta a su familia, según he avanzado en mi introducción, p. 11.)

4 de abril

Publica «Romancillo» («Arbolé arbolé») en *El Estudiante,* 2.ª ép., núm. 12, Madrid, p. 3. El romance se incorporaría, sin título, a *Canciones.*

8 de abril

Lectura de poemas en el Ateneo de Valladolid, presentado por Jorge Guillén. De acuerdo con la reseña periodística que luego se cita, F. G. L. leyó «versos de *Canciones,* de *Cante jondo (sic),* de *Romancero gitano,* de las deliciosas «suites», y al final, como solemne despedida, ese compendio didáctico: la "Oda didáctica a Salvador Dalí", admirable monumento».

9 de abril

Publicación en *El Norte de Castilla,* Valladolid, del «Romance de la luna luna de los gitanos», en versión que puede considerarse ya como definitiva y que debe proceder de un manuscrito, como vendría a testimoniar la grafía «ginete», tan repetida en autógrafos lorquianos. El romance cierra la reseña anónima «Ayer en el Ateneo. Lectura de poesías por F. G. L.», la cual recoge, tras breve entradilla, casi todo el texto de la entusiasta presentación de Jorge Guillén, quien la ha reproducido entera en su *Federico en persona,* ed. cit., pp. 41-45.

11 de abril

Francisco de Cossío glosa la lectura lorquiana en el mismo periódico citado: «Ensayos. Una lectura»:

¿Poeta popular? Hay muchos modos de ser popular. García Lorca ha tomado del pueblo lo más fino y sutil: el gesto, la actitud, el tono, el ritmo... Y dentro de las normas populares, cultiva, como en los viejos romanceros, el tema infantil, el legendario y el burlesco. Todos los versos parecen hechos para cantar. (...) Pero en el manejo del color tiene un sentido cubista. El color posee una significación plástica: exalta y completa la forma, jamás la mistifica. Esto quiere decir que en la poesía de García Lorca no hay ni un leve asomo de impresionismo. Y de aquí el contraste maravilloso: el andamiaje de la más refinada cultura de hoy, para elevar un edificio popular. Ello, posiblemente, no se ha visto nunca hasta ahora.

6 de agosto

Estoy en Sierra Nevada y bajo muchas tardes al mar. ¡Qué mar prodigioso el Mediterráneo del Sur! ¡Sur, Sur! (admirable palabra sur). La fantasía más increíble se desarrolla con rasgos de un norte fijo y tamizado.

Yo trabajo como siempre. Me he propuesto terminar el Romancero gitano. Aquí he hecho dos nuevos romances que me han costado un esfuerzo extraordinario.

(Carta 8 a J. G., obr. cit., p. 92, fechada en Lanjarón. Uno de los romances aludidos es, sin duda alguna, «Reyerta», cuya publicación en *L'Amic de les Arts* [núm. 15, julio de 1927] aparece fechada en «Lanjarón [Granada] 1926». El otro romance debió ser «San Miguel», copiado, junto con «Reyerta», en carta del mes siguiente a J. G.)

¿Setiembre?

En carta a M. F. A. (número 27, obr. cit., p. 75) insiste en sus deseos de estrenar *Mariana Pineda* y escribe: *El asunto de mis libros está completamente resuelto. Ya te contaré cómo los voy a hacer. Quiero que salgan los tres en el mes de abril.*

177

9 de setiembre

En carta número 11 a J. G. (obr. cit., pp. 98-104) copia los romances que titula «San Miguel Arcángel» y «Reyerta de mozos». Alude al primero como «este nuevo romance gitano», apostillando: «Esto es una romería». Los dos romances sufrirían muy leves correcciones en su versión definitiva.

10 de octubre

Publicación de «Reyerta» en *La Verdad. Suplemento Literario,* núm. 59, Murcia. En el mismo número se anuncia la publicación como Suplemento de *Litoral* —es decir, en libro— de *La sirena y el carabinero.* Cf. J. Comincioli, obr. cit., p. 160.

26 de octubre

Aquí ha estado Emilio Prados (ayer se fue). Se ha llevado todos mis libros y saldrán cuanto antes. Te dedico uno [Canciones] *en unión de Salinas y Guillén, mis mejores amigos. Las tres personas más encantadoras que he conocido. Dime qué te parece. ¿Salen los tres al mismo tiempo o salen distanciados? Contesta.*

Añade en la misma carta:
Emilio me ha encargado una colección de libros de canciones populares y romances que pienso organizar en seguida. En ellos saldrá a luz, por fin, el cancionero granadino tan importante para esta clase de estudios todavía inédito. Como ves, tengo una enormidad de trabajo.

(Carta número 33 a M. F. A., obr. cit., p. 80. Adopto la fecha dada por Comincioli, obr. cit., p. 160.)

Noviembre

No me contestas [corrijo por «contestes»] *qué te parece si deben salir los tres libros de una vez o separados. Dime. (...) Ahora empiezo a trabajar. Termino el Romancero gitano y me hace cosquillas un poema largo, inconcreto todavía, pero lírico, de un lirismo agudo y fabuloso de planos y rumores. No sé. ¡Pero saldrá! Tú sabes que yo acaricio la idea de este poema hace años.*

(Carta número 40 a M. F. A., obr. cit., p. 92. Adelanto la fecha dada por A. Gallego Morell —Granada, 1927—, pues el poeta se hace eco de la carta ya citada de 26 de octubre. Tiene que ser, además, anterior a enero de 1927 cuando se indispone con Prados, con implicación para la publicación de los tres libros sabidos. El «poema largo» podría ser «La sirena y el carabinero», citado del mismo modo en. carta número 5 a Jorge Guillén, obr. cit., p. 84.)

8 de noviembre

¿Sabes que mis libros están ya en la imprenta? Te ruego que me contestes a vuelta de correo esta pregunta: ¿Salen los tres a la vez? ¿O salen espaciados?

(...) A pesar de todo no quiero dejar de enviarte este Romance de la Guardia civil, que compongo estos días. Lo empecé hace dos años... ¿recuerdas?

Tras copiar 63 versos, añade:

Hasta aquí llevo hecho. Ahora llega la guardia civil y destruye la ciudad. Luego se van los guardias al cuartel y allí brindan con anís Cazalla por la muerte de los gitanos. Las escenas del saqueo serán preciosas. A veces, sin que se sepa por qué, se convertirán en centuriones romanos. Este romance será larguísimo pero de los mejores. La apoteosis final de la guardia civil es emocionante.

Una vez terminado este romance y el «Romance del martirio de la gitana Santa Olalla de Mérida» daré por terminado el libro. Será bárbaro. Creo que es un buen libro. Después no tocaré ¡jamás! ¡jamás! este tema.

(Carta número 14 a J. G., obr. cit., pp. 108-110.)

Noviembre

Publicación en *Litoral*, núm. 1, Málaga, pp. 5-11, de tres «Romances gitanos»: «I. San Miguel», «II. Prendimiento de Antoñito el Camborio», «III. Preciosa y el aire». Este número inaugural de la revista malagueña debió salir a fines de noviembre o, quizá, ya en diciembre.

Según carta a José María Cossío (cf. mayo de 1927), F. G. L., fecha en este mes el romance «Prendimiento de Antoñito el Camborio camino de Sevilla». La adscripción a esta fecha quizá obedezca a una revisión del romance efectuada tras su publicación en *Litoral*. De los tres, éste fue le más afectado por las erratas, de acuerdo con la carta que Federico dirige a Jorge Guillén en enero de 1927 (vid. *infra*).

Es de suponer que «Muerte de Antoñito el Camborio» debió ser escrito en fechas próximas. Ha recordado Jorge Guillén *(Federico en persona*, p. 53):

Hubo romances que fueron escritos de un golpe. Me contaba José Antonio Rubio, el más goethiano de mis amigos, compañero de cuarto de Federico en la Residencia de Madrid, que una noche fría de invierno Federico se acostó temprano y allí, en la cama, redactó «Muerte de Antoñito el Camborio» tal como vio la luz.

En una entrevista olvidada, aparecida en México, declaraba el poeta:

Soy franco: he escrito unos romances que aspiro a que sean incorporados al Romancero. Con esa intención están hechos. Si no lo dijera, no tendría valor. El arte, amigo, es un juego, sí, pero un juego serio.

(Antonio Acevedo Escobedo [«Las cosas fueron así», *El Nacional*, 18-XII-1966] recoge este testimonio de las declaraciones del poeta en diciembre de 1926 al entonces corresponsal del periódico en Madrid, Orteguita. Agradezco el conocimiento de este texto a Francisco Giner de los Ríos.)

1926-1927

Antes de dar por terminado el *Romancero gitano* en el mes de agosto de 1927 (según carta a M. F. A. que luego se cita) F. G. L. debió escribir los romances «Thamar y Amnón», «San Gabriel», «San Rafael», «Muerte de Antoñito el Camborio», «Muerto de amor» y «El emplazado».

De acuerdo con la verosímil hipótesis que he anticipado, en 1927 corrige el «Romance con lagunas» y posiblemente es entonces cuando decide su inclusión en el libro.

Por otro lado, «Thamar y Amnón» debió ser escrito en fechas próximas a «San Gabriel». En un borrador de este segundo romance *(Autógrafos,* ed. cit., p. 156) el poeta añade, en columna distinta y en posición inversa, estos dos versos:

> *Sobre mis ojos sin freno*
> *agujas de vidrio clavas.*

Al dorso de la cuartilla, y junto a versos del inacabado romance, se halla una lista de títulos bajo el genérico de «Romances míticos»: «Thamar. / Preciosa. / Luna luna. / Olalla.» Los dos citados octosílabos hallan su correspondencia en otros cuatro del borrador de «Thamar y Amnón» *(Autógrafos,* pp. 184 y 186), por más que los versos 3 y 4 que aquí cito sean variante parcialmente tachada del mencionado borrador:

> *Thamar, bórrame los ojos*
> *con tu saliva de escarcha.*
> ....
> *Tus besos en mis espaldas*
> *finas agujas me clavan.*

Cabe deducir, pues, que «San Gabriel» fue escrito en fechas próximas a «Thamar y Amnón», y cuando ya estaban compuestos el «Romance de la luna luna», «Preciosa y el aire» y «Martirio de Santa Olalla».

Por otro lado, el romance dedicado a Sevilla en la figura de San Gabriel debió suscitar de inmediato el correspondiente a Córdoba, simbolizada en San Rafael, ya escrito el dedicado a Granada en la figura del tercer arcángel. Así, el citado borrador del romance bíblico recoge en recuadro, bajo el mismo título de «Romance de Thamar y Amnón», los dos títulos: «San Gabriel» y «San Rafael». La mención apoya la hipótesis de la citada proximidad cronológica en la redacción, escritos los dos títulos a modo de recordatorio.

Finalmente, en el borrador de «El emplazado» (publicado por primera vez en enero de 1928) el poeta copia en el doblez de la hoja final, y también en posición inversa a la escritura del romance *(Autógrafos,* p. 170), la lista siguiente: «Thamar / Guardia civil / S. Gabriel / S. Rafael / Muerte de Antoñito el Camborio / Don Pedro enamorado / Romance del emplazado». Esta enumeración de títulos debe referirse a romances en trance de revisión o de terminación. La mención del «Romance del emplazado» en lugar último, y al pie del mismo borrador del poema, da a entender que los previamente citados estaban ya escritos, rematados o no. La exclusión de «Martirio de Santa Olalla», cuya composición ya estaba iniciada en noviembre de 1926, puede explicarse por su pertenencia a los «Romances míticos». Esto plantearía el problema de la doble inclusión en sendas listas de «Thamar y Amnón», pero no parece que pueda avanzarse más, en el terreno de las hipótesis, a partir de la documentación hasta ahora conocida.

1927

A principios de 1927, escribe F. G. L. a José Bergamín:

A ver si este año nos reunimos y dejas de considerarme como un gitano, *mito que no sabes lo mucho que me perjudica y lo* falso *que es su esencia, aunque no lo parezca en su forma.*

(Ed. Gallego Morell, obr. cit., p. 152.)

3 de enero

¿Quieres enviarnos en seguida, *para el segundo número* [*de* Verso y prosa], *un romance gitano? O algo que no conozcan nuestros amigos, algo reciente. No seas cruel ni perezoso. Eres indispensable.* Necesitamos tu Poesía. *(...) Espero tu carta.* Sobre todo el romance.

(Carta VI de J. Guillén a F. G. L., obr. cit., p. 113.)

Enero

Estoy dispuesto a dar mi cuota para «Verso y Prosa». Encantado. Y ya tengo varias suscripciones. Pero mandaros algo no puedo. Más adelante. Y desde luego no serán romances gitanos. Me va molestando un poco mi mito de

*gitanería. Confunden mí vida y mi carácter. No quiero de
ninguna manera. Los gitanos son un tema. Y nada más.
Yo podía ser lo mismo poeta de agujas de coser o de paisajes hidráulicos. Además el gitanismo me da un tono de
incultura, de falta de educación y de poeta salvaje que
tú sabes bien no soy. No quiero que me encasillen. Siento
que me van echando cadenas. NO (como diría Ors).*

*Habrás recibido «Litoral». Una preciosidad ¿verdad?
Pero ¿has visto qué horror mis Romances?
Tenían más de ¡diez! enormes erratas y estaban completamente deshechos. Sobre todos el del Antoñito el Camborio. ¡Qué dolor tan grande me ha producido, querido
Jorge, verlos rotos, maltrechos, sin esa dureza y esa gracia
de pedernal que a mí [me] parece que tienen! Emilio
quedó en mandarme pruebas y no lo hizo. La mañana que
recibí la Revista estuve llorando, así como suena, llorando
de lástima.*

*Puse un telegrama a Prados y éste echa la culpa a mis
originales imposibles, etc., etc. Pero, él, que me conoce,
debía saber esto. Hoy mismo recibo todos mis originales
con una lacónica carta rogándome los corrija y ponga en
limpio... pero lo curioso del caso es que están copiados
a máquina. Esto casi equivale a decirme que no quiere
publicarlos. No sé si se le pasará el ataque. Yo me dirijo
a él en este momento como a un editor. Porque aunque sea
el libro de Canciones quiero editarlo. Además no es gitano.*

*Espero que todo se arreglará. Después de todo si yo in-
tento publicar es por dar gusto a unos cuantos amigos y
nada más. A mí no me interesa ver muertos definitivamente mis poemas... quiero decir publicados.*

(Carta 15 a J. G., obr. cit., pp. 114-115. Hago alguna corrección textual —en especial «cuota» en lugar de «nota»— a partir del facsímil de la carta reproducido en la
edición italiana del mismo libro: *Federico in persona.
Carteggio,* Milán, 1960.)

Enero

Pronto recibirás mi primer libro [Canciones]. *Dedicado
a ti, a Salinas y Guillén. Mis tres debilidades.
(...) Mis libros ya van a salir. Para muchos serán una
sorpresa. Ha circulado demasiado mi tópico de gitanismo,
y este libro de canciones, por ejemplo, es un esfuerzo*

lírico sereno, agudo, y me parece de gran poesía (en el sentido de nobleza y calidad, no de valor). No es un libro gitanístico.

(Carta 37 a M. F. A., obr. cit., p. 90.)

25 de febrero

Al mismo tiempo que le envío este poema, le mando mi felicitación por la preciosa revista «Mediodía»...
Perdone usted mi tardanza, pero no sabía qué poema elegir.

(Envío de «Romance con lagunas» en carta a J. Romero Murube, núm. 90, ed. A. Gallego Morell, obr. cit., pp. 145-147. Corrijo la fecha de la carta de acuerdo con J. Comincioli, obr. cit., pp. 32-33. Cf. año 1921 de esta cronología para la fecha dada por el poeta en su manuscrito del romance, omitida por A. Gallego Morell.)

17 de mayo

Publicación de *Canciones*, 1921-1924, Málaga, Litoral, Primer Suplemento.

¿Mayo?

Su libro de los toros estoy seguro que será delicioso. ¿Por qué no hacemos ahora el de los crímenes? Hay en los romances españoles una colección admirable. Sobre todo en la parte musical. En el Cancionero de Salamanca existen crímenes populares con una emoción maravillosa. Yo, en Granada, tengo varias preciosidades. ¿Va usted a poner melodías en su libro, ilustrando los romances? Sería precioso. El romance de Pepe-Hillo tiene música en diversas variantes. El romance del toro de Matilla de los Caños es magnífico y últimamente, en el siglo pasado, se hicieron varias melodías taurinas en Málaga, de un sabor andaluz verdaderamente emocionante. Cuénteme.
Mis dos romances los escribo ahora mismo. El primero de Antoñito el Camborio ha salido con enormes erratas en Litoral —admirable revista de Málaga—. Por eso repito aquí la imagen del torero. El de Mariana Pineda va íntegro. He puesto un Cayetano ¡que no sé quién es!... ni me importa, ¡pero es tan precioso nombre!

(...) Suplico corregir pruebas para evitar el desastre *de* Litoral.

(Carta número 1 a José María de Cossío. *OC*, II, pp. 1260-1261. F. G. L. incluye en la carta un dibujo coloreado de un torero [único sobre este tema del que se tenga noticia] y añade en hojas distintas unos fragmentos autógrafos de «Prendimiento de Antoñito el Camborio camino de Sevilla» y el romance de la corrida de toros en Ronda, de *Mariana Pineda*. Al primero se refiere como de «diciembre de 1926»; *Mariana Pineda* queda fechada en 1922, lo que resulta difícil de sostener según la documentación conocida.)

Junio

Aparece en *La Gaceta Literaria* (núm. 11, 1 de junio) un «Romance apócrifo de Don Luis de Góngora», firmado por F. G. L. El romance es un remedo burlesco del estilo gongorino, con alusiones al de García Lorca, escrito por Gerardo Diego. «El viento, galán de torres», de «Arbolé arbolé» se convierte, por ejemplo, en «el viento, escultor de bultos / y burlador de romanos», con eco también de «Reyerta».

Publicación del «Romance con lagunas» en *Mediodía. Revista de Sevilla,* núm. VII, pp. 6-7.

(Adopto la fecha de aparición sugerida por J. Comincioli, obr. cit., p. 33, dado que el número de *Mediodía* no especifica más que el año.)

24 de junio

Estreno en Barcelona de *Mariana Pineda,* definida en la carta a Cossío ya citada como «Romance popular en tres estampas y un cromo».

Julio

Publicación del «Romance de la luna luna» en *Verso y prosa,* núm. 7, Murcia, p. 2.

Julio

Estancia en Cadaqués. En estas fechas F. G. L. tenía
ya compuesta la música de «Prendimiento de Antoñito
el Camborio», romance que cantaba con el acompaña-
miento, a la guitarra, de Regino Sáinz de la Maza. Cf. Antonina Rodrigo, *García Lorca en Cataluña*, Barcelona, 1975,
p. 168. Según recoge de Ana María Dalí la misma investigadora, los poemas que más solía recitar F. G. L. eran
«Canción otoñal», «Baladilla de los tres ríos», «Cancion-
cilla sevillana», «Arbolé arbolé», «Romance de la luna
luna», «Preciosa y el aire», «Romance gitano» *(sic)*, «La
monja gitana», «Prendimiento y muerte de Antoñito el
Camborio» *(sic)*, «Romance de la Guardia Civil española»
y «Romance sonámbulo».

Julio

Publicación en *L'Amic de les Arts*, núm. 15, p. 45, de
«Reyerta de gitanos», con la dedicatoria, luego suprimida,
«A mis amigos de "L'Amic de les Arts"». El romance
aparece fechado en «Lanjarón (Granada), 1926».

Agosto

*He trabajado bastante en nuevos y originales poemas,
pertenecientes, ya una vez terminado el «Romancero gitano», a otra clase de cosas.*

(Carta número 21 a M. F. A., obr. cit., p. 69. Corrijo la
fecha dada por A. Gallego Morell —primavera de 1925—,
dado que el breve texto tiene que ser posterior al estreno
barcelonés de *Mariana Pineda*. F. G. L., en efecto, pide
a su amigo desde Cadaqués que le procure un cobro en
la Sociedad de Autores, para no verse obligado a pedir
dinero a su familia, pues «ya les he gastado un horror».
Sobre la estancia en Cadaqués, cf. Marie Laffranque, «Ba-
ses cronológicas para el estudio de F. G. L.», en *F. G. L.*,
ed. Ildefonso-Manuel Gil, Madrid. 1973, p. 425.

Octubre

Publicación de «Muerto de amor» en *Litoral*, núms. 5-
6-7 *(Homenaje a don Luis de Góngora)*, pp. 31-33.

22 de octubre

Homenaje a F. G. L. con motivo del triunfo de *Mariana Pineda* en Madrid. Asisten, entre otros, Ramón Gómez de la Serna, Giménez Caballero, Pedro Salinas, Claudio de la Torre, Fernando Vela, Juan Chabás, Antonio Espina, Melchor Fernández Almagro, Dámaso Alonso, Américo Castro, Max Aub. Lorca recita «Martirio de Santa Olalla», «La guardia civil» y «La casada infiel», romances «que electrizaron a los comensales».

(*La Gaceta Literaria*, núm. 21, Madrid, 1-XI-1927, p. 5.)

Diciembre

Conmemoración en Sevilla del tricentenario de la muerte de Góngora. En uno de los actos, y entre diversas intervenciones, *Lorca y Alberti, los dos primos —entre sí— de la poesía andaluza representaron un trozo de las* Soledades, *en el cual lució «el bienaventurado Alberti a cualquier hora» una propísima voz ronca de náufrago en tierra. Por último, Jorge Guillén, Diego, Lorca y Alberti leyeron en competencia versos suyos, después de otros ajenos de jóvenes presentes y ausentes. Era verdaderamente admirable, inaudito, oír a Guillén enjaretar impertérrito, persuasivo, doctoral, décima tras romance y romance tras décima, y al rematar cada pase de la matemática y abstracta faena escuchar las taurinas, gloriosas ovaciones del senado. Después, los romances de Federico señalaron el alza máxima del entusiasmo, mientras Adriano del Valle, de pie sobre su escaño, se despojaba de sus prendas de vestir en un arrebato de enajenación.*

(Firma esta nota «La Brillante Pléyade», nombre que con sentido burlesco Gerardo Diego retoma de la prensa sevillana del momento en su artículo «Coronación de Dámaso Alonso», *Lola. Amiga y Suplemento de Carmen*, número 5, Sigüenza, abril, 1928.)

1928

Solamente [te escribo] *para mandarte un abrazo y el anuncio de la publicación de mis romances en la «Revista de Occidente». Estoy aterrado porque son espantosamente malos.*

(Carta número 6 a J. G., obr. cit., p. 88. Fechada por Guillén en Madrid, 1926, debe ser, probablemente, mucho más tardía, quizá de este año 1928 [o de los últimos meses de 1927], como indicaría la publicación de «romances gitanos» en la revista o editorial mencionada.)

Enero

Publicación de dos «Romances gitanos» en *Revista de Occidente*, LV, VI, Madrid, pp. 40-46: «I. La casada infiel», «II. Martirio de Santa Olalla».

Enero

Publicación de «El emplazado» en *Carmen. Revista chica de la poesía española,* núm. 2, Santander.

20 de enero

Como sabes, mi Romancero *está en puertas. Si puedo os llevaré* [*a S. Gasch y S. Dalí*] *yo mismo los ejemplares.*

(Carta número 14 a Sebastián Gasch. *OC.*, II, p. 1290.)

Junio

En las hojas de publicidad editorial de *Revista de Occidente* (VI, LV, junio 1928) aparece en recuadro la siguiente indicación: «PUBLICACIONES DE LA REVISTA DE OCCIDENTE / EN BREVE: / COLECCION "NOVA NOVORUM" / FEDERICO GARCIA LORCA / PRIMER ROMANCERO GITANO.»

Julio

Se publica en este mes el *Primer romancero gitano,* tal como señalan las mencionadas hojas de publicidad de *Revista de Occidente* (VI, LVI, julio 1928). Precio del volumen: 3 pesetas. F. G. L. consigna al frente del libro las fechas de composición: 1924-1927.

Escribió evocativamente Luis Amado Blanco («Meridiano español. Hace un año», *Patria,* La Habana, 4-11-1937):

Lo recuerdo, paseo madrileño de Castellana adelante, en aquellas noches inolvidables de finales de julio de 1928, con el dibujante y cineasta Santiago Ontañón, recitándonos sus romances gitanos aún no publicados. Hacía mucho calor y en el pequeño estanque, bajo el Museo de Historia Natural, al lado del Hipódromo, las ramas enfriaban el caliente brillar de las estrellas, mientras escuchábamos, estremecidos. Luego se ponía a cantar, a contar historias de su tierra, auténticas a fuerza de falsas, a llenar la noche de gritos y de entusiasmos dispersos, pero envolventes. Donde estaba Federico no había nadie más que él. Lo llenaba todo y hasta taponaba los agujeros, invisibles, por donde se mete el tedio (...). El era como un largo río que se está dando siempre, y siempre está lo mismo. Inagotable, jamás dejaba de trabajar. Porque arte era su conversación, el gesto, la risa bronca y literaria.

Julio-setiembre

Aparecen en prensa y revistas numerosas reseñas del libro. En ellas se juzga la consagración de un poeta —anunciado por *Canciones* y *Mariana Pineda*— y se dictamina, a la vez, sobre el valor de la nueva poesía. De la tácita polémica suscitada se hará eco, entre otros, Salvador Dalí. Uno de los críticos, Luis G. de Valdeavellano, señala la casual y feliz coincidencia en la aparición del *Primer romancero gitano* y la *Flor nueva de romances viejos,* de Ramón Menéndez Pidal: «Compárense ambos romanceros y se verá qué gallardamente resisten el contraste los romances modernos de García Lorca» («Un romancero gitano», *La Epoca,* 28-VII-1928). Ricardo Baeza, con desbordado entusiasmo, compara el significado del libro lorquiano con la reforma lírica promovida por Rubén Darío y añade: «Muy antigua y muy moderna, sin proponerse ni una cosa ni otra, no sé de poesía, dentro de su concisión, más diversa, ni de horizonte con más ecos y en que hablen más voces. A la vez popular y erudita (con una utilización de los motivos populares en la que convendrá detenerse), de acento a la vez modernísimo y arcaico, tan pronto trágica, como lírica, como humorística, y esencialmente dramática en todo momento, ella nos ofrece todos los registros, desde el plástico en toda su gama hasta el puramente musical» («Los *Romances gitanos* de F. G. L.», *El Sol,* 29-VII-1928). Por último, Juan Chabás elogia la «evidente calidad genial» de los romances, pero desliza el reproche de «fácil evasión» y «graciosa pirueta» subyacente en parte del libro, como si al poeta le hubiera faltado «mayor disciplina, más noble ahínco para penetrar dentro de sí mismo». Subraya críticamente Chabás: «No es el interés menor de estos romances el de contener el anuncio de una mayor severidad de García Lorca» (*La Libertad,* 1-IX-1928).

Setiembre

Salvador Dalí escribe a F. G. L. una larga carta, de la que extraigo un párrafo:

Tu poesía actual va de lleno dentro de lo tradicional, *en ella advierto la sustancia* poética más gorda que ha existido, *pero ligada en absoluto a las normas de la poesía antigua, incapaz de emocionarnos, ni de satisfacer nuestros deseos actuales, tu poesía está ligada de pies y brazos al arte de la poesía vieja.*

(Para la carta completa, cf. A. Rodrigo, obr. cit., pp. 262-264.)

8 de diciembre

Ayer me escribió una carta muy larga Dalí sobre mi libro. (...) Carta aguda y arbitraria que plantea un pleito poético interesante. Claro que mi libro no lo han entendido los putrefactos, aunque ellos digan que sí.
A pesar de todo, a mí ya no me interesa nada o casi nada. Se me ha muerto en las manos de la manera más tierna. Mi poesía tiende ahora otro vuelo más agudo todavía. Me parece que un vuelo personal.

(Carta número 22 a S. Gasch, *OC.,* II, p. 1299.)

15 de diciembre

Yo no soy gitano. (...) Andaluz, que no es igual, aun cuando todos los andaluces seamos algo gitanos. Mi gitanismo es un tema literario y un libro. Nada más.

(E. Giménez Caballero, «Itinerarios jóvenes de España: F. G. L.», *La Gaceta Literaria,* Madrid; *OC.,* II, p. 935.)

1929-1930

En fecha indeterminada, pero durante su estancia en Nueva York, redacta García Lorca una «Nota autobiográfica» (*OC.*, I, pp. 1167-1168), en la que vuelve a recalcar, como antes en carta a Guillén:

El gitanismo es tan sólo un tema de los muchísimos que tiene el poeta; pero no fundamental en su obra, ni mucho menos persistente. El Romancero gitano es un libro en el que el poeta ha acertado por el tono del romance y por tratarse de un tema de su tierra natal; pero no se puede clasificar a este poeta de ambición más amplia como un cantor de esta raza y nada más.

1931

15 de enero

Yo creo que el ser de Granada me inclina a la comprensión simpática de los perseguidos. Del gitano, del negro, del judío..., del morisco, que todos llevamos dentro. Granada huele a misterio, a cosa que no puede ser y, sin embargo, es. Que no existe, pero influye. (...) El Romancero gitano no es gitano más que en algún trozo al principio. En su esencia es un retablo andaluz de todo el andalucismo. Al menos como yo lo veo. Es un canto andaluz en el que los gitanos sirven de estribillo. Reúno todos los elementos poéticos locales y les pongo la etiqueta más fácilmente visible. Romances de varios personajes aparentes, que tienen un solo personaje esencial: Granada...

(R. Gil Benumeya, «Estampa de G. L.», *La Gaceta Literaria*, Madrid; OC., II, pp. 939-940.)

1933

En su conferencia *Cómo canta una ciudad de noviembre a noviembre,* escrita probablemente en su viaje en barco a la Argentina y dada por primera vez en Buenos Aires el 26 de octubre, recordaría García Lorca sobre el verano granadino:

Todo el romancero se vuelca en boca de los niños. Las más bellas baladas no superadas por ningún poeta del Romanticismo, las más sangrientas leyendas, los juegos de palabras más insospechados. Aquí los ejemplos son inagotables. Vamos a escoger uno que cantan los niños de algunos pueblos y las niñas de la Plaza Larga del Albaicín.

En la noche de agosto no hay quien no se deje prender por esta melodía tierna del romance del duque de Alba.

> [*Se oyen voces, se oyen voces,*
> *se oyen voces en Sevilla,*
> *que el duque de Alba se casa*
> *con otra y a ti te olvida...*]

(Cf. Francisco García Lorca, obr. cit., pp. 481-482.)

14 de octubre

El Romancero gitano no es un libro popular, aunque lo sean algunos de sus temas. Sólo son populares algunos versos míos, pero sólo en minoría. El romance de «La casada infiel», por ejemplo, sí lo es, porque tiene entraña de raza y de pueblo y puede ser accesible a todos los lectores y emocionar a todos los que lo escuchen. Pero la mayor parte de mi obra no puede serlo, aunque lo parezca por su tema, porque es un arte, no diré aristocrático, pero sí depurado, con una visión y una técnica que contradicen la simple espontaneidad de lo popular.

(«Llegó anoche F. G. L.», *La Nación*, Buenos Aires; *OC.*, II, p. 993.)

Diciembre

Con el sello de Sur, el mismo de la prestigiosa revista argentina dirigida por Victoria Ocampo, se publica en Buenos Aires la tercera edición del *Primer romancero gitano*, terminada de imprimir «en los últimos días» de 1933, según el colofón. La que autor y editores debieron considerar cuarta edición del libro, no recogida en las bibliografías, es una tirada aparte de la tercera, en formato mayor y carente de retrato. En la página de créditos lleva este texto justificativo: «De este libro se han impreso aparte de la edición popular cien ejemplares de lujo que

constituyen la presente especial edición... de los cuales
diez señalados de A a J fuera de comercio y noventa ejemplares numerados de 1 a 90 en papel Ingres Italy... todos
firmados por el autor...» Tomo estos datos del ejemplar H,
que lleva impresos los nombres de Federico García Rodríguez y Vicenta Lorca Romero, padres del poeta.

1935

26 de setiembre

*La distinguida escriptora alemanya que viu entre nosal-
tres, Etta Federn Kohlhaas, está preparant una traducció
completa del* Romancero gitano *de García Lorca. En un
dels romanços, va trobar els versos següents:*

> detrás va Pedro Domecq
> con tres sultanes de Persia.

*Ara bé, a Alemanya ningú non sap qui és Pedro Domecq,
ni coneixen la seva marca. Així, doncs, la senyora Federn-
Kohlhaas va posar, en alemany:*

> darrera va... la vídua Cliquot
> amb tres sultans de Pèrsia.

*En diferentes penyes literàries es discutia molt aquesta
versió que molts jutjaven improcedent. Un amic en va
assabentar el mateix Lorca, el qual —contràriament al que
s'esperava, exclamà:*

—Hombre, no está mal... ¡Tiene muchísima gracia!

(De una entrevista aparecida en *Mirador,* Barcelona, en
la fecha indicada, y que se reproduce completa en nuestra
edición de *Yerma.*)

1936

—*No lo vas a creer, de puro absurda que es la cosa;
pero es verdad. Hace poco me encontré sorprendido con
la llegada de una citación judicial. Yo no podía sospechar*

de lo que se trataba, porque, aun cuando le daba vueltas
a la memoria, no encontraba explicación a la llamada.
Fui al Juzgado. ¿Y sabes lo que me dijeron allí? Pues
nada más que esto: que un señor de Tarragona, al que,
por cierto, no conozco, se había querellado por mi «Ro-
mance de la Guardia Civil española», publicado hace ya
más de diez años en el Romancero gitano. *El hombre, por*
lo visto, había sentido de pronto unos afanes reivindica-
torios, dormidos durante tanto tiempo, y pedía poco menos
que mi cabeza. Yo, claro, le expliqué al fiscal minuciosa-
mente cuál era el propósito de mi romance, mi concepto
de la Guardia Civil, de la poesía, de las imágenes, del
surrealismo, de la literatura y de no sé cuántas cosas más.
   —¿Y el fiscal?
   —Era muy inteligente y, como es natural, se dio por
satisfecho. El bravo defensor de la Benemérita se ha que-
dado sin lograr su propósito de procesarme.

(A. Otero Seco, «Una conversación inédita con F. G. L.»,
Mundo Gráfico, Madrid, 24-II-1937; *OC.,* II, pp. 1088-
1089.)

NOTAS AL TEXTO

PRIMER ROMANCERO GITANO

De acuerdo con Rafael Martínez Nadal (F. G. L., *Autógrafos,* I, Oxford, 1975, p. XXI de la Introducción), García Lorca contó con su colaboración amistosa para la puesta en limpio y copia mecanografiada del manuscrito del *Romancero,* de este modo dispuesto para su entrega a la imprenta. La transcripción se habría realizado, siguiendo la costumbre del poeta, en dos tiempos: copia primera en limpio y, después, una vez realizadas las correcciones definitivas y el añadido de las palabras no entendidas por el mecanógrafo, copia segunda y última. Según el recuerdo de M. Nadal, el poeta «se llevó todas las copias, incluso las primeras, algunas con muchas correcciones». No obstante, ni en el archivo de *Revista de Occidente,* editora del libro, ni en el de la familia del poeta se ha conservado ninguno de los dos apógrafos.

Narra M. Nadal que García Lorca le entregó el manuscrito de ocho romances y fragmentos de otros tres, todos los cuales ha reproducido facsimilarmente en el volumen antes citado. Incluidos en cartas, o como autógrafos sueltos, el poeta realizó una serie relativamente numerosa de otras copias para diversos amigos: M. Fernández Almagro, Jorge Guillén, J. Mora Guarnido, etc. De todas ellas he dejado ya constancia en mi cronología. Baste decir que han sido reproducidas en facsímil las enviadas a Jorge Guillén, así como dos fragmentos del «Romance con lagunas», copiado en carta a J. Romero Murube. Me he basado en estas fuentes autógrafas para las notas correspondientes. En su defecto, parto de las transcripciones realizadas por A. Gallego Morell, editor de una parte sustancial del epistolario lorquiano. No he podido consultar la versión del «Romance de la luna, luna» en la revista *Proa,* de Buenos Aires (¿1924?). Tampoco he tenido en cuenta los autógrafos conservados en el archivo de la familia del poeta, reservados para una edición crítica en preparación. No obstante, gracias a la amabilidad de Francisco Giner de los Ríos, he hecho uso de una fotocopia de la citada colección de poemas —autógrafos y apógrafos— entregada por el poeta a Enrique Díez-Canedo. En ella se incluían tres romances autógrafos, de los que he dado noticia en mi cronología. Hice referencia a uno de ellos en la primera edición de este volumen. He añadido ahora nuevos datos, dado que dicha colección ha sido ya dada a conocer, en sus noticias esenciales y poemas inéditos, por M. García-Posada: F. G. L., *Poesía, 2. Obras II, Madrid,* Akal, 1982. La publicación de esta edición cuando el presente volumen estaba ya en pruebas me ha permitido dar acogida o someter a crítica los planteamientos textuales del citado editor del *Romancero gitano.*

Del cotejo de los autógrafos e impresos con las versiones de la *princeps* (1928) surge una duda de cierta entidad: si la puntuación del *Romancero* obedece siempre a la voluntad del poeta o es obra del copista. Tal vez fuera posible establecer la divisoria entre los sistemas de puntuación de cada uno, como hipotético medio de fijar la puntuación del autor, en aquello que se aparta de la norma académica, sobre una base fiable. El problema, además de intrincado, quizá sea irresoluble. Pero es que, además, el poeta fiaba a otra persona la fijación de sus textos. Su intervención en el proceso no es más que una prueba de la autoridad que las versiones resultantes reciben. Han de hacerse, sin embargo, algunas aclaraciones.

García Lorca, del mismo modo que incurría en abundantes faltas de ortografía (como otros egregios escritores), apenas tenía en cuenta unas normas académicas de puntuación. Razones de expresividad oral, o de expresividad a secas, han inducido a diversos escritores a guiarse por un sistema personal en ese campo. Entre otras figuras, cabe citar a Valle-Inclán, Blas de Otero y Juan Goytisolo. Con García Lorca el problema que se plantea es lo deliberado o no de sus rupturas frente a la norma común. Ya en carta del año 26 a su hermano suspira por «un secretario y un editor». Sospecho que el primero no debía cumplir, en su intención, el mero papel de amanuense fiel de unos manuscritos más o menos descifrables. El copista debía salvar los errores ortográficos y fijar la puntuación del texto bajo un criterio aceptable para el autor. El hecho de que casi todos estos primeros transmisores de la obra lorquiana fueran amigos del poeta no profesores o académicos ha dado pie para que se hable de la «peculiaridad» de la puntuación lorquiana. (Compárese la *princeps* del *Romancero* con la primera parte del *Diván del Tamarit,* impresa en vida del poeta. Cf. t. 3 de estas *Obras.*) Aunque se han transmitido algunos usos que el poeta prefería, lo llamativo es que no existe una homogeneidad en las aludidas rupturas entre unos y otros libros, entre poema y poema, dentro de un mismo poema. Consta por algunos apógrafos que el poeta revisaba la puntuación, pero no de una manera extrema ni exhaustiva. Sin entrar en matices prolijos, ajenos a la intención de estas notas, se deduce que en muchos casos la puntuación es responsabilidad del copista, la cual no corresponde a veces ni al autógrafo conservado ni a las versiones previamente publicadas, obra de otros copistas.

La puntuación de los copistas podía ser más o menos académica, más o menos fiel a los usos del autor. Por otro lado, sobre las copias autorizadas ha de añadirse la posible interpretación del tipógrafo. De suyo, la puntuación del libro más veces editado en vida de su autor, el *Romancero gitano,* fue variando de una a otra edición. Parece demostrable la intervención del poeta, pero no es seguro que su labor se proyectara sobre todas las variantes. Es decir, García Lorca no fue tan descuidado en la edición y reedición de sus libros como se ha supuesto, pero tampoco su actitud es parangonable a la de un Jorge Guillén. La importancia que tiene la discusión de estos problemas, de apariencia menor, reside en la deseable recta comprensión de los versos lorquianos. Determinadas formas de puntuación imponen una lectura que quizá no fue la deseada por el autor. De ahí que se haga precisa una revisión atenta de la *princeps.* A la vista de las fuentes, no queda siempre claro que los versos hayan sido puntuados en función «del valor recitativo de la poesía de Lorca» (Josephs y Caballero, página 228), o para marcar «los énfasis y pausas de recitación» (M. García-Posada, p. 698). Si esto es posiblemente cierto en términos generales, no lo es menos que el poeta puntuó en ocasiones mal, quizá contra su propia voluntad. No cabe hacer aquí una análisis pormenorizado y demostrativo de lo dicho, pero sí recoger brevemente algunos ejemplos.

Valga resaltar faltas de homogeneidad o contradicción en ciertos usos. Así, hay oraciones de relativo, condicionales, aposiciones o complementos circunstanciales, por ejemplo, que se enmarcan con una sola coma final. No obstante, en construcciones sintácticas paralelas, a veces de un mismo romance, la puntuación se ha resuelto de modo diferente. Puesto que los casos son variados y numerosos se debilita la objeción del distinto valor concedido por el poeta a esas cláusulas o versos paralelos, con énfasis diferente según su posición en el poema. Otra peculiaridad: García Lorca tiende a escribir con mayúscula inicial la palabra que sigue a los dos puntos. Tal sistema, aparte de no ser respetado siempre, puede dar lugar a confusiones. (En el soneto «Yo sé que mi perfil será tranquilo» asistimos a un ejemplo singular: *mercurio* convertido en *Mercurio,* el dios. Es ilustrativo seguir la transmisión textual de este soneto para observar las soluciones de los copistas.) Por otro lado, el poeta separa a veces con coma intermedia el verbo de su complemento directo. En mis notas documento dos fuentes donde aparece esta misma redacción: *Sangre resbalada gime,* / *muda canción de serpiente.* No creo que se trate de una primera lectura ofrecida por el autor. Aparte de que la coma fue suprimida, sabemos del valor transitivo de «gemir» por un contexto próximo. En el «Romance de la pena negra» los pechos de Soledad Montoya *gimen canciones redondas.* En «Reyerta» es la sangre la que gime una canción. La aposición que se derivaría de la presencia de la coma obedece probablemente a una mala puntuación del autor, luego corregida. En «San Gabriel» se plantea un ejemplo parecido, no resoluble en el mismo sentido sobre una base documental: *Aridos lucen tus ojos,* / *paisajes de caballista.* Por último, como otro ejemplo problemático, se hace difícil admitir la validez de la puntuación de los versos siguientes: *el viento, vuelve desnudo; la media luna, soñaba; la luna menguante, pone; paños blancos, enrojecen.* No niego que el poeta puntuara con esa coma intermedia alguno o todos esos versos, como medio para señalar una pausa que él *oía* de esa manera. Sin embargo, y como dato que no agota el problema, los autógrafos publicados por Martínez Nadal difieren en estos versos frente a la puntuación que registra la *princeps,* que ha sido la transcrita.

Podría ampliarse esta enumeración de problemas textuales, que han de ser planteados exhaustivamente ante una edición crítica, no pretendida aquí. No obstante, a la vista de los ejemplos aducidos se hace obligado sopesar con el máximo cuidado las variantes de puntuación de la *princeps* frente a los autógrafos, las versiones de romances adelantados en revistas y prensa, las reediciones del *Romancero* hechas en vida del poeta. Sin haber podido consultar todas las fuentes aludidas, en especial la serie completa de reediciones del *Romancero* (1928-1936), he actuado con más libertad que los editores que me han precedido para la fijación del texto. Opino que la fidelidad extrema a la primera edición obedece a un feticismo injustificado. Soy consciente, sin embargo, de lo discutible de algunas de las soluciones propuestas.

Las correcciones se efectúan sobre la edición *princeps* del *Primer romancero gitano* (Revista de Occidente, 1928). Se trata de una edición descuidada, que dio entrada incluso a errores ortográficos. Aparte de autógrafos e impresos, recogidos ya en la cronología, he cotejado la *princeps* con un ejemplar de la 4.ª ed. (Buenos Aires, Sur, 1933), lo que equivale a decir con la 3.ª. Como he avanzado, una y otra responden a una misma tirada de impresión por parte de Sur. La importancia de esta 3.ª-4.ª ed. obedece a que fue revisada por el autor, según parece demostrable. (Acaso sucedió lo mismo con la 2.ª, de Revista de Occidente, 1929, pero sin las innovaciones de la edición argentina.) A pesar de algunas variantes, la ed. Sur debió ser fuente de la 5.ª (Espasa Calpe, 1935), que también he consultado. El hecho de que el poeta tomara como modelo la 3.ª ed. en 1935 da a entender que aprobaba las innovaciones introducidas en la edición de Buenos Aires, de la que se corrige al menos una errata: *primer berberisco*: *primor berberisco* («San Miguel»).

El poeta revisó, aunque fuera someramente, la segunda edición de *Canciones,* como he mostrado ya en mi edición de este libro (*Obras de F.G.L.*, 3, p. 185). Es previsible que actuara del mismo modo, incluso con más atención, ante las reediciones de su libro más célebre. Algunas variantes de puntuación, corrección de erratas anteriores e introducción de blancos, asteriscos y guiones exigen un conocimiento de los romances que sólo su autor podía poseer. Las novedades, pues, no se explican por la simple labor de un tipógrafo o corrector cuidadoso. La revisión, sin embargo, no fue del todo coherente ni completa, como se verá en mis notas. A pesar de ello, me he servido de los criterios deducibles de esa revisión, con el complemento de los autógrafos, apógrafos e impresos, para fijar el texto de la presente edición. En ella doy un paso más sobre la avanzada en la primera edición de este volumen, en la que ya partí de la edición argentina para algunas correcciones esenciales, como los aludidos errores ortográficos, más otros, evidentes, de puntuación.

* * *

1. ROMANCE DE LA LUNA, LUNA. Mantengo en el v. 16 la lectura de la *princeps*, respetada en todas las ediciones hechas en vida del poeta: *con los ojillos cerrados.* Me he resistido a corregir por el manuscrito de *Autógrafos* (p. 138), por el enviado en carta a M. Fernández Almagro (febrero o marzo de 1926), y por la también coincidente lectura de los impresos conocidos: *con tus ojillos cerrados.* Se lee así el verso en *El Norte de Castilla* (9-IV-1926) y en *Verso y prosa* (julio de 1927). Ante la confusa letra del autor, cabría interpretar que hubo yerro del copista de la versión definitiva. No descarto, sin embargo, la corrección intencionada de García Lorca, quien, a juzgar por las variantes de puntuación, no se sirvió de los impresos. Pudo corregir el verso al creer innecesaria la presencia del posesivo por el valor deíctico ya presente en el pronombre personal del v. 15: *te encontrarán sobre el yunque.* La construcción con artículo evidencia aún más el paralelismo con el v. 24: *tiene los ojos cerrados.*

Con regularización de un uso que ya mostraba el autógrafo primero (29-VII-1924), las intervenciones de diálogo aparecen entrecomilladas en el enviado a M. F. A. (transcrito por A. Gallego Morell, pp. 85-86), y en los dos impresos mencionados. Sigo el criterio general adoptado, por lo que introduzco guión inicial, en sustitución de las comillas, en los vv. 9, 13, 17 y 19. Por simetría con el v. 35 (*El aire la vela, vela*) y con el mismo título del romance, añado una coma en el verso 13: *El niño la mira mira: El niño la mira, mira.* Sigo en este punto a los impresos. De acuerdo también con el primer autógrafo, con los impresos y con la 3.ª ed., suprimo la innecesaria coma del v. 23: *Dentro de la fragua el niño, / tiene...* Conforme a los impresos, regularizo la puntuación del v. 30 —*¡ay, cómo canta en el árbol!*—, sin coma en la primera ed. y con ella en la 5.ª y ss. Comp. v. 77 de «Thamar y Amnón».

2. PRECIOSA Y EL AIRE. Añado guión de diálogo en el v. 25. Tanto el autógrafo Díez-Canedo como *Litoral*, ambos de 1926, entrecomillan los vv. 25-28. De acuerdo con *Litoral*, restablezco la coma intermedia en el v. 14: *levantan por distraerse, : levantan, por distraerse, / glorietas...* No ofrece coma alguna el autógrafo ni la 3.ª ed., pero la *princeps* mantiene una significativa coma final en el verso discutido.

3. REYERTA. Bajo el título de «Reyerta de mozos», así mencionado luego en la conferencia-recital, conocemos un facsímil del autógrafo enviado a Jorge Guillén en set. del 26. J. G. lo reproduce en la citada ed. italiana *Federico in persona. Carteggio.* Los vv. 25-26 ofrecen allí la siguiente lectura: *Sangre resbalada gime, / muda canción de serpiente.* Mantiene la coma la versión impresa en *La Verdad* (octubre del 26), pero desaparece en *L'Amic de les Arts* (junio de 1927) y en las ediciones del *Romancero,* desde la 1.ª Me atengo al impreso más próximo a la *princeps,* así como a ésta. Introduzco coma final en el v. 2, y suprimo la del v. 6. Sigo en estas correcciones la 3.ª ed., en la que el poeta corrigió el v. 36, antes deturpado: *por el aire del poniente: por el aire de poniente.* La segunda lectura es la ofrecida por el autógrafo y por los impresos (*por el aire de Poniente,* en *L'Amic*). Notó la variante frente a la *princeps* A. Rodrigo (obr. cit., p. 209). Introduje ya la corrección en la primera ed. de este volumen. Quede ahora razonada y claramente sustentada. Sin consulta del autógrafo citado, pero basándose en su transcripción, justifica también la corrección M. García-Posada (p. 699).

4. ROMANCE SONÁMBULO. Añado asterisco de separación tras el v. 12. Pudo ser omitido en la *princeps* por el cambio de página entre los vv. 12 y 13. Lo ha restablecido, a partir de la 2.ª ed., Arturo del Hoyo (*OC,* II, p. 1468).
Añado comas finales en los vv. 6 y 22. Me apoyo en estas correcciones para añadir otra coma final en el v. 70. Suprimo, en cambio, las comas finales de los vv. 25, 59, 73, 77 y 81. Mantengo, no obstante, como caso de dudosa resolu-

ción, la coma intermedia del v. 64, del siguiente modo en la
1.ª y 5.ª ed.: *El largo viento, dejaba*. Unifico la puntuación
de la pareja de versos repetitivos 33-34 y 45-46. Los dos últimos ofrecen distinta lectura en la *princeps: Pero yo ya no
soy yo. / Ni mi casa es ya mi casa*. Regularizo la puntuación de los vv. 67-68, de este modo en la *princeps: ¡Compadre! ¿Dónde está, dime? / ¿Dónde está tu niña amarga?*
Añado guión de diálogo en los vv. 25, 35, 41 y 47. Compa-
rativamente, se justifica el mismo signo para los vv. 67 y 69.
Me baso para todas las correcciones anteriores, menos en el
caso de los vv. 64, 67 y 69, en la 3.ª edición.

Arturo del Hoyo ha advertido también la necesidad de
corregir el v. 39: *¿No ves la herida que tengo* : *¿No veis
la herida que tengo*. Se basa para ello en la variante de un
autógrafo del Archivo García Lorca, comunicada por A. Belamich, y en la correspondencia con el *dejadme* de los
vv. 47 y 49. Admite también la corrección M. García-Posada (p. 699), sobre las mismas razones. No obstante, me
atengo a la lectura del verso tal como aparece en las 1.ª, 3.ª
y 5.ª ediciones. La forma *ves* se corresponde nítidamente
con el imperativo en segunda persona *dime*, del v. 67.

5. LA MONJA GITANA. Se conserva un posible borrador o
redacción primera del romance, con fecha de 20-VIII-1925.
Dado el carácter del ms., la puntuación es sumamente descuidada (*Autógrafos*, pp. 142-145). Añado una coma intermedia en el v. 5: *Vuelan, en la araña gris, / siete pájaros...*
Me apoyo para la corrección en la coma final que la *princeps* ofrece en ese verso y en los ejemplos correlativos de
los vv. 16 y 34, según el criterio discutido. Las ediciones 3.ª
y 5.ª eliminan dicha coma final del v. 5.

6. LA CASADA INFIEL. Se conoce una copia autógrafa,
con fecha de 27-I-1926 (*Autógrafos*, pp. 146-149), y un impreso, ya de enero del 28, en *Revista de Occidente*. Me
atengo a las ediciones 3.ª y 5.ª para establecer un blanco
entre los vv. 3-4. La corrección pudo ser del autor, como
medio de señalar el engarce de los versos de copla iniciales
con el cierre del romance. En el ms. se observa, por otra
parte, una leve separación en el lugar indicado, si bien no
esté señalada por signo alguno.

M. García-Posada (p. 699) ha corregido acertadamente el
laísmo que se deslizó en el v. 50, contrario al ms.: *Le regalé un costurero*. Es preciso añadir que *La regalé*, como se

mantiene en todas las ediciones, contradice los usos del autor y no está justificado por el cercano impreso, ya citado, donde se mantuvo la lectura original.

Añado coma intermedia en los vv. 51 y 53, los dos con coma final en el ms., que se mantiene en la *princeps* para el primer caso, finalmente corregido en la 5.ª ed.: *grande, de raso pajizo.* Transcribe el impreso el v. 53 con la lectura que adopto: *porque, teniendo marido, / me dijo...*

7. ROMANCE DE LA PENA NEGRA. Ofrecen en la *princeps* puntuación distinta los vv. 5 y 7, a pesar de su idéntica construcción. V. 5: *Cobre amarillo, su carne, / huele...;* v. 7: *Yunques ahumados sus pechos, / gimen...* Adopto para los dos versos una única coma intermedia que señale la aposición. Así se resuelve el v. 5 en 3.ª y 5.ª ed. Conforme a estas ediciones, introduzco guión de diálogo en los vv. 9, 11, 15, 19, 23, 27 y 35. Un ms. de 30-VII-1924 (*Autógrafos,* pp. 150-155) presenta, conforme a los usos del autor, comillas en alguno de los versos señalados. Sigo a las dos ediciones citadas para eliminar la coma final del v. 41.

8. SAN MIGUEL (GRANADA). SAN MIGUEL. Mantengo la doble titulación. La portadilla de las ediciones hechas en vida del autor ofrece la localización geográfica, que no figura luego al frente del romance. Se conoce el facsímil de una versión, enviada en carta a J. Guillén de 9-IX-1926, y reproducida en *Federico in persona,* ed. cit. En noviembre del mismo año se publica el romance en *Litoral,* bajo el título escueto de «San Miguel». Añado una coma final en el v. 10, de acuerdo con el ms. y con el impreso. Corrijo, por la 5.ª ed., el v. 17: *San Miguel lleno de encajes : San Miguel, lleno de encajes.* Sustituyo el punto y coma con que se cierra el v. 25 por una coma. Basándose en *Litoral,* introduce esta corrección M. García-Posada, a quien sigo. No respeto, sin embargo, la mayúscula de *Efebo,* en el v. 26. En el ms. está justificada por el punto final que cierra el verso anterior, al margen de que el v. 26 aparezca entre paréntesis, quizá como señal de duda primera sobre la validez del verso. Adopto la lectura de *Litoral: San Miguel canta en los vidrios, / efebo de tres mil noches.* Elimino también la coma de cierre del v. 29, siguiendo a *Litoral.* Añado, por último, una coma final en el v. 41.

9. SAN RAFAEL (CÓRDOBA). SAN RAFAEL. Mantengo, como en el romance anterior, la doble titulación. Martínez

Nadal reproduce el facsímil de la segunda parte en doble versión (*Autógrafos,* pp. 190-193). A su vista se disipa la confusa puntuación de los vv. 28-29, que se leen así en la *princeps: que a las dos Córdobas junta: / Blanda Córdoba...* La mayúscula de *Blanda* contradice el uso correcto de otros ejemplos del libro. Restauro la lección del ms., más acorde con el sistema de puntuación del poeta: *que a las dos Córdobas junta. / Blanda Córdoba...* Los vv. 48-50 presentan, dentro de su paralelismo, la misma puntuación que la establecida para los versos anteriores. En este caso sería respetada en las ediciones del libro, falto el copista de la confusión a que debió inducirle la doble redacción en el ms. del v. 28.

10. SAN GABRIEL (SEVILLA). SAN GABRIEL. Mantengo la doble titulación, como en los dos casos anteriores. De acuerdo con la 3.ª ed., introduzco guión de diálogo en los vv. 23, 39, 43, 47, 51, 55 y 59. Modifico el irregular uso de mayúscula en los vv. 23 y 39 después de los dos puntos. He mantenido este signo último aunque no esté refrendado por el ms. (*Autógrafos,* p. 160, 161). Otros textos del poeta manifiestan este tipo de puntuación, aunque no la irregular mayúscula (cf. v. 27 de «Reyerta»). Me aparto, pues, de la 3.ª y 5.ª ed., que siguen en los dos versos a la *princeps.*
Añado coma de cierre en los vv. 13, 27, 31, 33, según la 3.ª ed. No tiene sentido, por ejemplo, la distinta puntuación de los vv. 27 y 51 en lo que respecta a la idéntica aposición. De acuerdo con el ms. y la citada ed., restablezco la mayúscula inicial del v. 49. He mantenido la coma final del v. 61, al no tener base documental para la corrección. Parece en principio insólito que *paisajes de caballista* sea aposición a *ojos,* como se derivaría de la mantenida puntuación de la *princeps.* Probablemente el verbo está usado como transitivo, al igual que *gime-gimen* en los dos casos señalados.

11. PRENDIMIENTO DE ANTOÑITO EL CAMBORIO EN EL CAMINO DE SEVILLA. Una copia autógrafa del romance, fechado el 20-I-1926, le fue entregada a E. Díez-Canedo. En noviembre del mismo año se publicaba en *Litoral* con graves deturpaciones, de las que se dolería el poeta. Conforme a un uso ejemplificable en otros versos, añado una coma final en el v. 5. Adopto mayúsculas en *guardia civil,* v. 15. El poeta se refiere al colectivo, no a un solo individuo,

como denota el ms.: *Guardia civil,* según uso común en otros autógrafos. (En el poema se precisará luego el número de civiles: cinco.) Añado guión de diálogo en el v. 29. Me pliego, pues, a la 3.ª ed., lo mismo que en la supresión de la coma final del v. 37, también sin ella en el ms.

12.   MUERTE DE ANTOÑITO EL CAMBORIO. Añado guión de diálogo, con la 3.ª ed., en los vv. 19, 25, 33 y 37. Sustituyo por minúscula la mayúscula inicial del v. 23 y adopto coma final para los vv. 25 y 33. Corrijo la puntuación de los vv. 37-37, según la 3.ª ed.: *¡Ay Federico García! / llama a la Guardia civil; ¡Ay Federico García, / llama a la Guardia Civil!* La adopción de mayúscula para *civil* ha sido advertida por M. García-Posada (p. 700).

13.   MUERTO DE AMOR. En las ediciones 3.ª-5.ª (no sé si hasta la 7.ª) se suprime la dedicatoria «A Margarita Manso». Puesto que no hay constancia de que fuera una omisión deliberada, la sigo manteniendo. Se conoce un fragmento autógrafo en borrador (*Autógrafos,* p. 194). Fue editado, en octubre del 27, en *Litoral.* En esta versión se entrecomillan los vv. 39-42, sin duda marcados por el poeta. De acuerdo con la 3.ª ed., añado guión de diálogo para los vv. 1, 3, 5, 7 y 39, así como marco con punto y aparte el v. 43. Siempre según la misma ed., elimino la coma final de los vv. 7, 20, 33 y 44.

14.   EL EMPLAZADO. Se conoce un ms., probable redacción primera (*Autógrafos,* pp. 166-171). Fue publicado en la revista *Carmen* (enero de 1928). Quito la coma final del v. 19, sin ella en la 3.ª ed., en *Carmen* y en el ms. Introduzco guión en el v. 24. Marco también con comas la condicional de este verso, de acuerdo con *Carmen* y con la puntuación del v. 13 del siguiente romance.

15.   ROMANCE DE LA GUARDIA CIVIL ESPAÑOLA. El poeta copió los 63 primeros versos del romance en carta a Jorge Guillén (8-XI-1926). Han sido reproducidos en facsímil en *Federico in persona,* ed. cit. Se conocen otros fragmentos a través de M. Nadal: *Autógrafos,* pp. 196-203. Siempre que hay coincidencia entre la copia en limpio para J. Guillén y la 3.ª ed. modifico la puntuación. Suprimo, por tanto, la coma final del v. 29 y las intermedias de los vv. 33 y 49. Así, no es claramente atribuible al autor la puntuación irre-

gular de estos dos últimos versos: *El viento, vuelve desnudo*
y *La media luna, soñaba*. No pertenecen, por otro lado, a
los fragmentos del ms. M. Nadal. Presenta un caso semejante el v. 36: *noche, que noche nochera,* así mantenido en
la 3.ª ed. La coma no figura en el ms. Guillén. A juzgar
por los vv. 25-26 de este ms., hubo un titubeo en la puntuación por parte del autor. Lo resuelvo adoptando coma
final para los vv. 25 y 35 y eliminando la coma intermedia
del v. 36. La *princeps* ofrece esta lectura en los vv. 25-26:
*Cuando llegaba la noche / noche que noche nochera, / los
gitanos...* La única coma delata el carácter de aposición de
todo el verso. Modifico también la lectura del v. 88: *y las
horzas de moneda.* Hasta la 5.ª ed. no se corrige el error
ortográfico, acaso no imputable al autor. De acuerdo con
el ms. Nadal, la corrección debe ser doble: *y las orzas de
monedas.* García-Posada corrige, por último, el v. 118, con
supuesta minúscula inicial: *la Guardia Civil se aleja.* Parece una confusión del citado editor. La *princeps,* lo mismo
que el ms. Nadal, ofrecen la lectura correcta: *La.*

16.   MARTIRIO DE SANTA OLALLA. Las partes primera y
segunda de este romance han sido reproducidas en *Autógrafos,* pp. 172-175. El romance se editó en *Revista de Occidente,* enero de 1928. Sobre estas dos fuentes, M. García-
Posada (art. cit. en mi intr.) corrige el v. 18, que cierra con
punto. Se lee así en la *princeps: y garfios de aguda comba:
/ Brama...* Acorde la puntuación con otros ejemplos del
autor, mantengo los dos puntos y adopto minúscula para
Brama. Como han observado Arturo del Hoyo (p. 1469) y
el crítico citado (p. 700), se hace precisa la corrección de
maniquíes en el v. 59. En el ms. el poeta escribió *maniquís.*
Es posible que la lectura de la *princeps,* con hipermetría
desusada en el autor, proceda del impreso, donde ya se lee
maniquíes. Cierro con coma el v. 43.

17.   BURLA DE DON PEDRO A CABALLO. ROMANCE CON
LAGUNAS. Conocemos dos autógrafos y un impreso. El primer ms., versión primitiva del romance, le fue entregado a
E. Díez-Canedo en 1926; el segundo le fue enviado por
carta a J. Romero Murube, quien lo publica en *Mediodía*
(junio de 1927). Del ms. Murube se conocen dos fragmentos en reproducción facsímil. La primera hoja (vv. 1-19) aparece en *ABC.* Número homenaje a F. G. L., 6-XI-1966, sección «Antología breve», s. p. Los vv. 24-37 ilustran el ar-

tículo de Murube «Una variante en el *Romancero gitano, Insula,* 94, 1953, p. 5. Si bien *ABC* no declara la procedencia del facsímil reproducido, la deduzco por la suma de documentos de Murube que se incluyen en ese número de homenaje. El fragmento, además, presenta todavía el título simplificado —«Romance con lagunas»—, como se edita en *Mediodía.* Esta versión, con la carta donde se incluía, ha sido transcrita por A. Gallego Morell, ed. cit., pp. 145-147. (Es probable, sin embargo, que esta transcripción haya sido realizada con apoyo de *Mediodía.* El v. 5 reproduce la errata *Montaba,* tal como aparece en la revista, frente a *Montado,* lectura clara del ms. de *ABC.* Otras variantes de puntuación delatarían el mismo proceso.)

Frente al ms. Murube se advierten dos erratas en *Mediodía:* la ya notada del v. 5 y la advertida por el propio Murube, en su artículo de *Insula,* para el v. 26: *una ciudad lejana.* El ms., como confirma por su parte Gallego Morell, da *Una ciudad de oro.* He aquí los vv. 24-27, según el facsímil de *Insula: A una ciudad lejana / ha llegado Don Pedro / Una ciudad de oro / entre un bosque de cedros.* El ms. Díez-Canedo, anterior en un año, ofrecía esta lectura: *A una ciudad de oro / ha llegado Don Pedro / Una ciudad sin torres / entre un bosque de cedros.* Añadía en vv. 58-59, siguiendo la numeración deducible de la *princeps: La gran ciudad de oro / está ardiendo.*

Revista de Occidente presenta también variantes de puntuación respecto a *Mediodía,* en vv. 10, 25 y 67. Asimismo, los subtítulos correspondientes a las tres lagunas están entre paréntesis en la revista, como en el ms. Murube (vid. *ABC).* A partir de estos datos, deduzco como hipótesis plausible que el poeta realizó una copia autógrafa para el libro, sin duda a la vista de *Mediodía.* En ella añadió el título «Burla de Don Pedro a caballo», modificó la puntuación en los tres versos citados y quitó los paréntesis aludidos, al tiempo que restablecía la lectura original del v. 5. Hay que advertir que la misma puntuación y ausencia de paréntesis coincide con el ms. Díez-Canedo, por lo que estos cambios no son responsabilidad del copista. Cabe otra hipótesis: que el poeta corrigió directamente sobre el impreso, como hizo para algunos poemas de *Poeta en Nueva York.* En un caso u otro se mantuvo, en el v. 26, *Una ciudad lejana.* El poeta asumió, pues, la errata de *Mediodía,* a pesar de que alteró la puntuación. A partir del artículo de Murube, se ha interpretado, como indicaba el escritor sevillano, que había que corregir la errata del citado verso. Han seguido esta opinión A. del Hoyo, Allen Josephs y Juan Caballero, José Luis Cano, M. García-Posada, etc. He disentido en la primera edición de este volumen. A pesar de las razones que opone M. García-Posada (pp. 700-701), sigo inclinándome por la lectura de la *princeps* en el v. 26. Para abreviar: el poeta corrigió la puntuación, pero no la errata de *Mediodía*, que se mantendría en todas las ediciones del *Romancero*. Es decir, García Lorca cerró con punto el v. 25 y añadió la consiguiente mayúscula inicial en el v. 26, siempre frente a *Mediodía*. Olvidó, en cambio, la corrección de la errata, o la mantuvo deliberadamente. Si fue realmente un olvido, nada nos lo asegura. Lo menos arriesgado, por tanto, sigue siendo atenerse a la versión de la *princeps*. Ha de añadirse, por último, que el poeta revisó su libro, según se ha mostrado. El supuesto olvido, que no deja de ser posible, adopta carácter de reincidente.

18. THAMAR Y AMNÓN. Conocemos un borrador del romance (*Autógrafos*, pp. 180-189), probable redacción primera y, como tal, de descuidada puntuación. Añado guión inicial en los vv. 57, 61 y 65. Restablezco asterisco de separación entre los vv. 12-13. El v. 12 cerraba pág. en la *princeps*. La caja no dejaba lugar para el signo de separación, presente en la 3.ª ed., al igual que los guiones citados. Sigo también a esta ed. en las correcciones que siguen. Añado una coma intermedia en los vv. 25 y 41. Este último sufre el siguiente cambio: *La luz maciza, sepulta* : *La luz, maciza, sepulta / pueblos...* (Se mantiene, en cambio, la irregular puntuación del v. 89.) Suprimo la coma final de los v. 45 y 62. Restablezco la mayúscula inicial del v. 59, como corrigen las ediciones habituales. Por mi parte, añado comas finales en los vv. 26 y 55; para el primero, comp. «Preciosa y el aire», vv. 21-22.

ROMANCES DEL TEATRO

[ROMANCE DE LA CORRIDA DE TOROS EN RONDA]
(p. 117)

Sigo la versión que aparece en la edición de *Mariana Pineda* publicada por la colección teatral La Farsa (II, 52, Madrid, 1-9-1928, pp. 14-15), donde el poeta modifica la enviada a José María de Cossío en 1927 (cf. Eutimio Martín, «La actitud de Lorca ante el tema de los toros a través de cuatro cartas a José María de Cossío», *Insula*, 322, set. 1973). No obstante, me atengo en cuanto al arranque del poema —sin explicación previa— y a la omisión de sus cuatro últimos versos, más bien de engarce con la acción teatral, a la versión recibida por Cossío y publicada por éste en su libro, plagado de erratas, *Los toros en la poesía castellana*, t. II, Madrid, 1931, pp. 373-374. Interpreto que, al margen de variantes, ésta es la versión suelta del romance decidida por el propio García Lorca.

ROMANCILLO DEL BORDADO
(p. 119)

Procede de la estampa segunda, escena primera, de *Mariana Pineda* (ed. cit., pp. 30-32) y le prestan voz Clavela y los dos hijos de Mariana, quienes lo recuerdan como un romancillo ajeno, infantil, tomado supuestamente de la memoria popular. He entrecomillado las distintas intervenciones del diálogo descrito y no sólo la de los versos 17-20, únicos que la edición señala con comillas.

[ROMANCE DE LA MUERTE DE TORRIJOS]
(p. 121)

De la misma estampa segunda, escena octava, de *Mariana Pineda* (ed. cit., pp. 42-43). El relato está puesto en boca de uno de los conspiradores liberales amigo de la protagonista.

[SERENATA DE BELISA]
(p. 123)

Con el título de «Serenata» y la indicación «*(Homenaje a Lope de Vega)*» este poema formaría parte de *Canciones* (Málaga, 1927, p. 100), cambiando el nombre de Belisa por el de Lolita. Sigo el apógrafo del *Perlimplín*, con alguna anotación de mano del poeta, que perteneció a Pura Maortua de Ucelay y cuya consulta me ha permitido amablemente Margarita Ucelay. De este apógrafo procede la variante «y anís de sus muslos blancos», en lugar de «tus muslos», como transcriben las versiones conocidas.

[ROMANCE DE LA TALABARTERA]
(p. 125)

Sigo el texto, modificando en algún caso la puntuación, de la primera edición de *La zapatera prodigiosa*, Buenos Aires, Losada, 1938, pp. 166-170 (t. III de *OC*, con *Yerma*, ed. Guillermo de Torre). He separado con asteriscos o blancos, al modo del *Primer romancero gitano*, las pausas en el recitado del Zapatero que corresponden en la obra a interrupciones de los otros personajes. Corrijo el verso 31, «haciendo brillar alegre», por «haciendo brillar adrede», de acuerdo con Arturo del Hoyo, *OC*, II, Madrid, 1977, p. 1511. Confirma esta lectura Joaquín Forradellas en su edición de *La zapatera*, Salamanca, 1978, p. 167.

[ROMANCE DEL ARLEQUIN]
(p. 129)

Adopto la lectura del manuscrito del poeta, Cf. F. G. L., *Autógrafos. III: Así que pasen cinco años,* ed. R. Martínez Nadal, Oxford, 1979, pp. 152-155. Respeto, pues, las mayúsculas de «Sueño» y «Tiempo» y unifico las iniciales de verso frente al uso cambiante del poeta, quien no sigue en su manuscrito un criterio fijo.

[NANA DEL CABALLO]
(p. 131)

De *Bodas de sangre,* Madrid, Cruz y Raya, 1936, páginas 21-24.

[ROMANCILLO EN EL QUE DOS MUCHACHAS DEVANAN
UNA MADEJA ROJA]
(p. 135)

De la misma obra y edición que la nana anterior, páginas 112-115. Antes de la entrada del segundo estribillo el autor sitúa un breve diálogo en verso entre una Niña y la Muchacha 1.ª Dentro de la convención de esta antología de romances del teatro lorquiano, he suprimido aquí el mencionado diálogo, ya que afecta a la continuidad del romancillo considerado como unidad independiente.

[DANZA DE LA ESPOSA TRISTE]
(p. 139)

En el desarrollo y metro cambiante de esta danza, de la que libremente podemos decir que participa de la forma romancística, era importante hacer notar la participación jaleadora de los distintos personajes junto con el fondo que la acotación describe. Sigo el texto de nuestra edición de *Yerma* (*Obras,* 2).

(p. 143)

Este romance, tal como aquí se recoge, fue reproducido por Eduardo Blanco-Amor en «Nueva obra teatral de García Lorca», *La Nación*, 24-11-1935. El manuscrito le había sido cedido por el propio poeta, pues Blanco-Amor permitiría su reproducción facsímil en *Homenaje de escritores y artistas a García Lorca. Mony Hermelo. Recital poético*, Buenos Aires-Montevideo, 1937. El romance, ya sin su título, volvió a ser reproducido por el periodista Pedro Massa en una entrevista con el poeta en 1935 *(OC*, II, p. 1073). La explicación del título viene dada por el propio García Lorca en la mencionada declaración: «Esta flor [la rosa] es como el símbolo del pensamiento que he querido recoger en *Doña Rosita*. Pensamiento que la propia doncella repite una y otra y otra vez, a lo largo de la comedia, en estos versos que vas a escuchar»...

[ROMANCE DE LAS TRES MANOLAS]
(p. 145)

Para este romance «granadino» sigo, con mínimos cambios de puntuación, la *Antología poética* citada, ed. G. de Torre y R. Alberti, pp. 251-252.

LO QUE DICEN LAS FLORES
(p. 147)

Adopto el título que se indica en la comedia, cuando discuten los personajes si tocar al piano «¡Viva Frascuelo!», la «Barcarola de la fragata *Numancia*» o «Lo que dicen las flores». La Madre se refiere al romance en estos términos: «Habla y toca al mismo tiempo.» El romance, pues, está pensado para ser dicho en escena sobre un fondo de piano que toca uno de los personajes. Ante las erratas para este texto de la *Antología* varias veces citada, sigo la edición Losada *(OC*, t. V, 8.ª ed., Buenos Aires, 1962, pp. 80-84).

CONFERENCIA-RECITAL
DEL *ROMANCERO GITANO*

(p. 153)

Este texto fue editado por primera vez en *Revista de Occidente*, 2.ª ep., núm. 77, agosto 1969, pp. 129-137. De acuerdo con las noticias regocidas por Marie Laffranque («F. G. L. Conférences, déclarations et interviews oubliés», *Bulletin Hispanique*, LX, 4, 1958, pp. 523-528), fue utilizado por el poeta en Barcelona (9-X-1935) y en San Sebastián (7-III-1936). Quizá su escritura fue de esta última época, como sugiere la misma investigadora: «Una cadena de solidaridad. Federico, conferenciante», *Trece de Nieve*, obr. cit., p. 135. No debe descartarse, sin embargo, una redacción de fecha anterior, tal como se desprendería de unas palabras tachadas del apógrafo que se ha conservado entre los papeles del poeta, copia mecanografiada corregida de su mano.

En el primer párrafo el copista transcribió: «un camarada que hace cinco años vivía en la Residencia de Madrid». García Lorca tachó y corrigió de este modo: «un camarada que recuerda todavía cercanos los años que vivía...». Al comienzo de *Juego y teoría del duende,* el poeta confiesa que vivió en la Residencia de Estudiantes hasta 1928, lo que daría 1933 como año de la redacción de la conferencia-recital. No se conoce, sin embargo, documentación que corrobore esta fecha.

El segundo párrafo del texto estaba redactado originalmente así:

Yo sé muy bien que eso que se llama conferencia sirve en las Residencias de Estudiantes para llevar a los ojos del muchacho cansado de jugar o de estudiar esas puntas del alfiler donde se clavan las irresistibles anémonas de Morfeo, y esos bostezos para los cuales se necesitaría tener boca de caimán. Recuerdo una vez que un conferenciante nos dio una lata tan espantosa que el poeta Emilio Prados y yo salimos como locos al jardín y nos arrojamos vestidos al canal que bordea la colina de la Residencia.

Las sustituciones y supresiones de este párrafo acaso indiquen que el poeta corrigió la presentación de la conferencia para su uso en el Ateneo Guipuzcoano de San Sebastián, en tanto que la primera versión, más directamente familiar, estaba dirigida a los oyentes de la Residencia de Estudiantes de Barcelona. En esta ocasión (1935) Margarita Xirgu leyó el *Llanto por Ignacio Sánchez Mejías* después de las palabras del poeta. La conferencia estuvo organizada por la Escuela de Enfermeras de la Generalitat de Catalunya y apoyada por el Instituto de Acción Social Universitaria. Estas circunstancias y ámbito propiciarían el mencionado tono familiar, así como apoyarían la fecha de 1935 para la redacción de la conferencia. El estreno de *Bodas de sangre* en Barcelona, realizado el 22 de noviembre, puede ser una de las razones de su cita en el texto, en principio insólita. (Para los datos de la conferencia en Barcelona, cf. «La poesia i els estudiants. El recital de García Lorca i Margarida Xirgu a la Residència», *La Humanitat,* Barcelona, 12-X-1935. Esta excelente reseña ha sido reproducida por M. Laffranque en su recopilación citada del *BHi.)*

En Barcelona García Lorca leyó el romance «El emplazado», aludido, pero no citado expresamente en el texto de su conferencia, así como en San Sebastián dio lectura al «Diálogo del Amargo».

El texto que reproduzco, que sigue el apógrafo indicado, era, por consiguiente, un guión de lectura del *Romancero* más o menos adaptable a las circunstancias de público y tiempo. El poeta indicó, pues, el título, en ocasiones simplificado, de los textos que iba a recitar, incluido el fragmento —si había tiempo— de *Bodas de sangre.* El primer romance citado procede del *Libro de poemas,* Madrid, 1921, páginas 83-84. Su título original es «El diamante» y aparece fechado en «noviembre de 1920 (Granada)». En esta versión de la conferencia García Lorca ha suprimido cuatro versos y modificado la puntuación y blancos de la versión inicial. Dos de los versos —«Sin saber que lleva atada / una cadena en el cuello»— han sido añadidos a mano en el apógrafo, lo que refrenda la corrección intencionada del poeta de este romance tan tardíamente revisado.

He añadido entre corchetes los romances citados en la conferencia no pertenecientes al *Romancero gitano.*